Serie Bianca **❮** Feltrinelli

EMILIANO FITTIPALDI
AVARIZIA

**LE CARTE CHE SVELANO
RICCHEZZA, SCANDALI E SEGRETI
DELLA CHIESA DI FRANCESCO**

© Giangiacomo Feltrinelli Editore Milano
Prima edizione in "Serie Bianca" novembre 2015
Quinta edizione novembre 2015

Stampa  Grafica Veneta S.p.A. di Trebaseleghe - PD

ISBN 978-88-07-17298-4

FSC
www.fsc.org
MISTO
Carta
da fonti gestite in
maniera responsabile
FSC® C021883

www.feltrinellieditore.it
Libri in uscita, interviste, reading,
commenti e percorsi di lettura.
Aggiornamenti quotidiani

razzismobruttastoria.net

A mia madre e a mio padre

Prologo

Allora Giuda Iscariota, uno dei suoi discepoli, che doveva poi tradirlo, disse: "Perché quest'olio profumato non si è venduto per trecento denari per poi darli ai poveri?".
Questo egli disse non perché gl'importasse dei poveri, ma perché era ladro e, siccome teneva la cassa, prendeva quello che vi mettevano dentro.

GIOVANNI 12, 4-6

I due monsignori cominciano a parlare subito dopo che il cameriere ha portato il carpaccio di tonno e il battuto di gamberi rossi. Prima se n'erano stati zitti. Scorrendo la lista dei vini bianchi per cercare quello giusto da abbinare alle pietanze, sbocconcellando il pane alle noci, guardandosi annoiati in giro, alla ricerca di un volto noto da salutare nel giardino del ristorante ai Parioli.

Inforchettato il primo gambero, il sacerdote più anziano, quello che non avevo mai incontrato prima, va al sodo. "Devi scrivere un libro. Devi scriverlo anche per Francesco. Che deve sapere. Deve sapere che la Fondazione del Bambin Gesù, nata per raccogliere le offerte per i piccoli malati, ha pagato parte dei lavori fatti nella nuova casa del cardinale Tarcisio Bertone. Deve sapere che il Vaticano possiede case, a Roma, che valgono quattro miliardi di euro. Ecco. Dentro non ci sono rifugiati, come vorrebbe il papa, ma un sacco di raccomandati e vip che pagano affitti ridicoli.

"Francesco deve sapere che le fondazioni intitolate a Ratzinger e a Wojtyla hanno incassato talmente tanti soldi che ormai conservano in banca oltre 15 milioni. Deve sapere che le offerte che i suoi fedeli gli regalano ogni anno attraverso l'Obolo di San Pietro non vengono spese per i più poveri, ma ammucchiate su conti e investimenti che oggi valgono quasi 400 milioni di euro. Deve sapere che quando prendono qualcosa dall'Obolo, i monsignori lo fanno per le esigenze della curia romana.

"Deve sapere che lo Ior ha quattro fondi di beneficenza avari come Arpagone: nonostante l'istituto vaticano produca utili per decine di milioni, il fondo per opere missionarie ha regalato quest'anno la miseria di 17 mila euro. Per tutto il mondo! Deve sapere che lo Ior non è stato ancora ripulito e che dentro il torrione si nascondono ancora clienti abusivi, gentaglia indagata in Italia per reati gravi. Deve sapere che il Vaticano non ha mai dato ai vostri investigatori della Banca d'Italia la lista di chi è scappato con il bottino all'estero. Nonostante noi l'avessimo promesso. Deve sapere che per fare un santo, per diventare beati, bisogna pagare. Già, sborsare denaro. I cacciatori di miracoli sono costosi, sono avvocati, vogliono centinaia di migliaia di euro. Ho le prove.

"Deve sapere che l'uomo che lui stesso ha scelto per rimettere a posto le nostre finanze, il cardinale George Pell, in Australia è finito in un'inchiesta del governo sulla pedofilia, alcuni testimoni lo definiscono 'sociopatico', in Italia nessuno scrive niente. Deve sapere che Pell ha speso per lui e i suoi amici, tra stipendi e vestiti su misura, mezzo milione di euro in sei mesi.

"Francesco deve sapere che la società di revisione americana che qualcuno di noi ha chiamato per controllare i conti vaticani ha pagato a settembre 2015 una multa da 15 milioni per aver ammorbidito i report di una banca inglese che faceva transazioni illegali in Iran. Deve sapere che la Santa Sede per guadagnare più soldi ha distribuito tesserini speciali a mezza Roma: oggi vendiamo benzina, sigarette e vestiti tax free, incassando 60 milioni l'anno.

"Deve sapere che non è solo Bertone che vive in trecento metri quadrati, ma ci sono un mucchio di cardinali che vivono in appartamenti da quattrocento, cinquecento, seicento metri quadrati. Più attico e terrazzo panoramico. Deve sapere che il presidente dell'Apsa, Domenico Calcagno, si è fatto un buen retiro in una tenuta della Santa Sede in mezzo al verde, facendo aprire una società di comodo a suoi lontani parenti. Deve sapere che il moralizzatore Carlo Maria Viganò, l'eroe protagonista dello scandalo Vatileaks, è in causa con il fratello sacerdote che lo accusa di avergli fregato milioni dell'eredità. Deve sapere che Bertone ha preso un elicottero costato 24 mila euro per andare da Roma in Basilicata. Deve sapere che il Bambin Gesù controlla allo Ior un patrimonio pazzesco da 427 milioni di euro, e che il Vaticano ha investito pure in azioni della Exxon e della Dow Chemical, multinazionali che inquinano e avvelenano. Deve sapere che l'ospedale di Padre Pio ha trentasette tra palazzi e immobili, e che oggi hanno un valore stimato in 190 milioni di euro. Deve sapere che i salesiani investono in società in Lussemburgo, i francescani in Svizzera, che diocesi all'estero hanno comprato società proprietarie di televisioni porno. Deve sapere che un vescovo in Germania ha scialacquato 31 milioni per restaurare la sua residenza, e che una volta beccato è stato promosso con un incarico a Roma. Francesco deve sapere un sacco di cose. Cose che non sa, perché nessuno gliele dice."

Il monsignore posa la forchetta e si pulisce la bocca con il tovagliolo. Il prete che conosco bene gli versa un po' di vino nel bicchiere, un Sacrisassi Le Due Terre. Il canuto reverendo alza il calice, strizza un occhio per osservare con attenzione il colore giallo paglierino attraverso il cristallo, beve due lunghi sorsi, poi sorride. "Qui fuori c'è parcheggiata una macchina piena di documenti. Dello Ior, dell'Apsa, dei dicasteri, dei revisori dei conti chiamati dalla commissione referente, la Cosea. È per questo che ho chiesto che lei venisse in auto. Non ce la farebbe a portarli via in motorino." Si alza di scatto. "A proposito, noi non abbiamo contanti. Stavolta il ristorante lo paga lei?"

1.

Il tesoro del papa

> Non accumulate per voi tesori sulla terra, dove tarme e ruggine consumano e dove ladri scassinano e rubano; accumulate invece per voi tesori in cielo, dove né tarma né ruggine consumano e dove ladri non scassinano e non rubano. Perché, dov'è il tuo tesoro, là sarà anche il tuo cuore.
>
> MATTEO 6, 19-21

Così Gesù ammoniva i suoi discepoli in cima al monte. Eppure in duemila anni Santa Romana Chiesa ha spesso interpretato la parabola a modo suo: ignorandola del tutto. Se il denaro è lo sterco del diavolo, in Vaticano sembra valere il detto "pecunia non olet": nei secoli lingotti e monete d'oro, banconote di ogni valuta, proprietà immobiliari e titoli bancari sono stati ammucchiati da preti, vescovi e cardinali in quantità, e oggi il patrimonio ha assunto proporzioni bibliche.

Chi ha provato a calcolare l'intera ricchezza della Chiesa cattolica ha inesorabilmente fallito. Diffusa in tutti i paesi del mondo con un miliardo e duecento milioni di fedeli, a lei fanno capo – secondo i numeri che l'Annuario pontificio pubblica ogni anno, grazie alle cifre raccolte ed elaborate dall'ufficio statistico della Santa Sede – migliaia di arcidiocesi e vescovati: in ordine alfabetico, partendo da Aachen in Germania (nome tedesco di Aquisgrana) a Zomba, in Malawi, le "circoscrizioni ecclesiastiche" sparse per il pianeta sono 2966, tra vescovati, sedi metropolitane, prefetture, vicariati e abbazie, con quasi cinque milioni di persone – elencando suore, religiosi, diaconi e sacerdoti – impegnate a guidare il gregge di Gesù.

Ogni "circoscrizione" è proprietaria di chiese e immobili, gestisce conti e finanziarie, ed è completamente autonoma rispetto al Vaticano, che non esercita nemmeno controlli se non in casi estremi, ossia davanti a crac finanziari o spese sospette di cui la Santa Sede venga a conoscenza. Si tratta di un patrimonio gigantesco, a cui va aggiunto quello controllato dalle congregazioni cattoliche, dagli ordini religiosi e dalle associazioni laiche. Se Opus Dei, Legionari di Cristo e Cavalieri di Colombo sono tra i più noti e facoltosi, dall'America all'Oceania se ne contano a migliaia, ognuno con i suoi beni e i suoi denari, e anche con i suoi bilanci che – ancor più di quelli delle singole diocesi – non hanno nulla a che fare con quello del Vaticano. Gran parte delle ricchezza posseduta dai vari enti, infine, è segreta e riservata: in molti paesi, associazioni e congregazioni non hanno l'obbligo di pubblicare report annuali, mentre le leggi vigenti sulle fondazioni, negli Stati Uniti e in Europa, permettono la privacy più assoluta nascondendo al pubblico parte importante delle proprietà ecclesiastiche. Non solo in Italia, ma in mezzo mondo.

Il volume che avete in mano, però, grazie a una mole significativa di documenti inediti provenienti dalle stanze vaticane, report di revisori chiamati da Francesco per fare luce su conti e transazioni finanziarie, lettere e bilanci dei singoli dicasteri, può oggi illuminare per la prima volta l'intero tesoro del papa, quello controllato direttamente dal Vaticano. Una montagna di miliardi tra conti, investimenti finanziari, metalli preziosi e proprietà immobiliari che anche oggi – dopo le guerre di potere scoppiate ai tempi di Benedetto XVI – continuano a provocare dietro le mura scontri furibondi tra fazioni contrapposte. Eserciti interni e gruppetti di laici ben inseriti, cardinali armati l'un contro l'altro, dietro Francesco si muovono camarille e monsignori che non sembrano ancora convertiti al credo pauperista del nuovo pontefice, e che hanno ancora un obiettivo prioritario: mettere le mani sopra una fetta della torta.

Spulciando una delle relazioni interne della Cosea, la dissolta Commissione referente sull'organizzazione della struttura economica del Vaticano che Bergoglio in persona ha creato per far luce sulle sacre finanze, si scopre innanzitutto che "le varie istituzioni vaticane gestiscono i propri asset e quelli di terzi a un valore dichiarato di 9-10 miliardi di euro, di cui 8-9 miliardi in titoli, e uno di immobiliare". Una stima contabile assai precisa per quanto riguarda le ricchezze in contanti e in azioni, ma molto prudenziale rispetto al valore reale di palazzi, negozi, ville, scuole, convitti e appartamenti di proprietà dello Stato Pontificio: in tutti i bilanci vaticani, scrive la Cosea, i valori nominali sono notevolmente sottodimensionati, e valgono molto di più di quanto iscritto a bilancio dai vari enti proprietari.

"Case per 4 miliardi"

Un documento della Commissione referente, scritto in inglese e in italiano e destinato a George Pell, capo della nuova segreteria per l'Economia voluta da Francesco, sintetizza per la prima volta il valore reale di tutti i beni immobiliari di proprietà di istituzioni vaticane. Leggiamolo: "Sulla base delle informazioni messe a disposizione di Cosea, ci sono ventisei istituzioni relazionate alla Santa Sede che possiedono beni immobiliari per un valore contabile totale di un miliardo di euro al 31.12.2012. Una valutazione di mercato indicativa dimostra una stima del valore totale dei beni di quattro volte più grande rispetto al valore contabile, o quattro miliardi di euro". Già: quattro miliardi tondi tondi.

Nel report sono indicate anche le istituzioni papali "con le proprietà più importanti a valore di mercato". Cioè l'Apsa, l'Amministrazione del patrimonio della

PONTIFICIA COMMISSIONE
REFERENTE DI STUDIO E DI INDIRIZZO
SULL'ORGANIZZAZIONE DELLA STRUTTURA
ECONOMICO-AMMINISTRATIVA DELLA SANTA SEDE

SUMMARY REPORTS
OF VARIOUS PROJECTS
UNDERTAKEN BY
COSEA

ESAME DEI BENI IMMOBILIARI DI PROPRIETÀ DI ISTITUZIONI VATICANE

Visione d'insieme del tipo e valore dei beni

- Sulla base dell'informazione messa a disposizione di COSEA, ci sono **26 istituzioni** relazionate alla Santa Sede che possiedono beni immobiliari per un **valore contabile totale di EUR ~1mrd** al 31.12.2012.

- Una valutazione di mercato indicativa dimostra una **stima del valore totale** dei beni di 4 volte più grande rispetto al valore contabile, o **EUR ~4mrd**. Le istituzioni con le proprietà più importanti (a valore di mercato) sono:
  - APSA: EUR ~2,710m
  - Propaganda Fide: EUR ~450m
  - Casa Sollievo della Sofferenza: EUR ~190m
  - Fondo Pensioni: EUR ~160m.

- Il **reddito totale da locazione** ammonta a **EUR ~88m**, dei quali EUR ~65m compresi nel conto economico della Santa Sede e EUR ~2m nel conto economico consolidato della Città Stato Vaticano. Reddito supplementare da locazione può essere ottenuto come dettagliato in basso.

- Lo **stato fisico** degli edifici non è stato preso in considerazione nelle analisi per il momento.

- Siccome COSEA ha dovuto fare affidamento sull'**informazione resa disponibile dalle varie istituzioni**, non possiamo assicurare che tutti i beni immobiliari siano stati individuati.

Mancanze nella gestione dei beni immobiliari

- Prima di tutto, si è osservata **duplicazione di attività** tra le ~20 istituzioni che gestiscono beni immobiliari.

- Esistono importanti **mancanze strategiche** nella gestione dei beni immobiliari:
  - Canoni di locazione molto bassi (incremento potenziale del reddito da locazione di almeno EUR 25-30m senza avere impatto sull'impegno della Santa Sede nell'offrire appartamenti a bassi canoni ai dipendenti)
  - Uso inefficiente delle unità (e.g. la Libreria Editrice possiede un grande magazzino in un edificio prestigioso in Piazza San Callisto)
  - Nessuna gestione del tasso di rendimento (nessuna trasparenza sul valore di mercato dei beni)

- C'è margine di miglioramento in svariate **procedure** relazionate alla gestione dei beni immobiliari:
  - Linee guida per la locazione di unità ai dipendenti (e.g. non esiste beneficio equivalente per i dipendenti ai quali non viene assegnato un appartamento; casi di ex-dipendenti del Vaticano che rimangono in appartamenti interni a canoni favorevoli fino a 8 anni dopo il termine del loro impiego col Vaticano)
  - La gestione delle eccezioni per l'assegnazione delle unità (e.g. riduzione del canone su richiesta specifica)
  - Compravendita di beni (e.g. nessuna procedura formalmente approvata in APSA per la vendita di proprietà)
  - Mantenimento degli edifici (e.g. nessuna valutazione sistematica della qualità dei prestatori di servizi)

Proposta di strada da percorrere

- Tutti i beni immobiliari di proprietà di istituzioni relazionate al Vaticano dovrebbero essere gestiti centralmente:
  - La proposta di una nuova istituzione responsabile per la **gestione patrimoniale** – chiamata Vatican Asset Management (VAM) – sarà responsabile per gli investimenti e per pianificare e monitorare i redditi. I **titoli di proprietà** rimarranno ne le istituzioni che oggi possiedono tali beni.
  - Un nuovo **dipartimento di gestione immobiliare** nella Segreteria per l'Economia sarà responsabile per:
    - Stabilire le line guida per la locazione delle unità (in collaborazione con l'ufficio Risorse Umane nell'ambito di linee guida per la locazione di appartamenti a dipendenti)
    - **Property management** (e.g. responsabilità dei contratti di locazione)
    - **Facility management** (e.g. monitoraggio tecnico degli edifici, gestione e monitoraggio di servizi di supporto come il mantenimento e la pulizia)
  - Tutto lo staff Vaticano che lavora in **servizi di mantenimento e pulizia** sarà unificato nel dipartimento dei Servizi Tecnici in Governatorato e servirà le unità nel Vaticano. Gare competitive che includano anche fornitori esterni saranno istituite come una regola per l'assegnazione di servizi in territorio non-Vaticano.

- Vista la quantità di progetti aperti, si raccomanda di cominciare con l'**implementazione** solo nella **seconda metà del 2014**. Le priorità saranno:
  - Nomina di un Direttore per la Gestione Immobiliare
  - **Richiesta di informazione dettagliata** da tutte le entità per quanto riguarda il loro portafoglio immobiliare
  - Rifinitura della **valutazione di mercato**
  - Creazione di un **piano** per indirizzare le mancanze per quanto riguarda la strategia e le procedure

Il valore delle proprietà immobiliari del Vaticano secondo la Pontificia commissione referente (Cosea).

Sede apostolica (con un patrimonio da 2,7 miliardi), la congregazione Propaganda Fide (450 milioni di euro, in passato libri e giornali hanno sempre dato stime ancora più alte), la Casa sollievo della sofferenza (grazie alle donazioni l'ospedale di Padre Pio ha un portafoglio di trentasette palazzi valutato 190 milioni) e il Fondo pensioni dei dipendenti, che possiede immobili per 160 milioni di euro.

Non è tutto. In un altro report confidenziale della Cosea datato 7 gennaio 2014 (si tratta di una bozza della proposta per la creazione di un unico asset manager vaticano, in modo da gestire in maniera unitaria tutto il patrimonio della Santa Sede oggi diviso tra decine di enti) si specifica che quasi sempre "gli immobili sono registrati o al costo di acquisizione o al costo di donazione, e molti edifici istituzionali sono valutati a 1 euro. Dunque c'è da aspettarsi che il valore di mercato del real estate vaticano sia molto più grande". La nota sottolinea pure che i revisori hanno lavorato sulle relazioni fornite dai vari enti, che potrebbero anche non aver iscritto pezzi del loro patrimonio in bilancio. Eventuali tesori non censiti, comunque, non modificherebbero la cifra finale di molto.

Quattro miliardi, dunque. Una ricchezza enorme in gran parte concentrata a Roma. Il dato della Cosea, che ha lavorato per mesi sui documenti messi a disposizione dagli enti, aiuta anche a ridimensionare la leggenda anticlericale che vuole la Chiesa cattolica proprietaria del 20 per cento dell'intero patrimonio immobiliare italiano. I report vaticani non contabilizzano le proprietà delle decine di ordini e congregazioni che hanno palazzi e appartamenti sparpagliati nella Città Eterna, ma includono il secondo maggior proprietario immobiliare cattolico della Capitale, ossia la diocesi di Roma, che ha un bilancio separato da quello della Santa Sede. Grazie a un documento della Kpmg del 2014, scopriamo che la diocesi capitolina possiede asset in città (mattone e liquidi) per 69 milioni di euro. Sarà una cifra errata per difetto, a cui aggiungere molte altre proprietà di organismi e congreghe. Ma è assai difficile che nella Capitale il patrimonio della Chiesa tutta possa arrivare a valere un quinto dei 534 miliardi di euro, cifra che rappresenta il valore complessivo delle abitazioni a Roma calcolato dai tecnici dell'Agenzia delle entrate e pubblicato nello studio poderoso intitolato *Gli immobili in Italia 2015*.

Caccia al tesoro

Leggendo il bilancio mai pubblicato dell'Apsa, si capisce che parte importante del tesoro immobiliare del Vaticano è confluito proprio nell'organismo presieduto da monsignor Domenico Calcagno. Creata nel 1967 da Paolo VI contemporaneamente alla prefettura degli Affari economici, l'Apsa custodisce da mezzo secolo asset mobiliari e immobiliari "destinati", spiega la *Pastor Bonus* con cui fu costituita "a fornire fondi necessari all'adempimento delle funzioni della Curia romana".

In realtà la storia dell'ente inizia molto prima. Se nel 1878 Leone XIII decise di formare un primo ufficio che amministrasse i beni rimasti al Vaticano dopo la presa di Roma del 1870, nel 1926 papa Pio XI dispose con un motu proprio la nascita dell'Amministrazione dei beni della Santa Sede, antenata dell'ente come lo conosciamo oggi. Nel giugno del 1929 al nuovo dicastero se ne aggiunse un altro, l'Amministrazione speciale della Santa Sede, costituita "allo scopo" spiega il Vaticano "di gestire i fondi versati dal governo italiano [cioè dal regime fascista di Benito Mussolini] alla Santa Sede in esecuzione della convenzione finanziaria allegata al Trattato del Laterano dell'11 febbraio 1929".

I due dicasteri vengono fusi quarant'anni dopo dentro l'Apsa. Che viene divisa in una "sezione ordinaria", che adempie ai compiti prima riservati all'Amministrazione dei Beni della Santa Sede (gestione del personale vaticano, della contabilità, dei dicasteri) e in una "sezione straordinaria", erede della vecchia Amministrazione speciale. La caccia al tesoro deve partire da qui, perché è qui che vengono conservati i beni mobili e il patrimonio immobiliare che fa capo alla Chiesa.

Le prime indicazioni del bilancio di cui siamo in possesso ci indicano di volare su Parigi, prendere un taxi e farsi portare a rue de Rome, vicino alla centralissima place Vendôme. Al civico numero 4 una società francese controllata dall'Apsa possiede infatti alcuni tra i più prestigiosi immobili della città. Si chiama Sopridex Sa, ha avuto inquilini famosi (come l'ex presidente François Mitterrand, l'ex ministro Bernard Kouchner e sua moglie Christine Ockrent) e oggi ha attività iscritte a bilancio che arrivano a 46,8 milioni di euro. Il personale comprende, leggiamo nel bilancio, "un direttore, tre dipendenti, addetti alle pulizie", e la bellezza di "sedici portieri".

Spostandoci dagli immobili parigini (il Vaticano ha in tutto centinaia di unità immobiliari tra negozi e appartamenti, lungo gli Champs-Élysées, nel centro storico e nel quartiere di Montparnasse, dov'era in affitto anche l'ex ministro Christine Albanel) e atterrando a Ginevra, scopriamo che la "sezione straordinaria" controlla anche dieci società svizzere (tra cui la Diversa Sa, la Société Immobilière Sur Collonges e la Société Immobilière Florimont) che, insieme alla capogruppo Profima Sa, gestiscono proprietà e terreni non solo nella Confederazione Elvetica, ma in mezza Europa. Tutte insieme – si legge in bilancio – sviluppano un fatturato annuo da 18 milioni di euro, e hanno un consiglio di amministrazione composto, ognuna, da sette persone.

Se è noto che la Profima Sa fu aperta a Losanna nel luglio del 1926, e che poi fu utilizzata da Pio XI per portare all'estero (o investire, a seconda dei punti di vista) parte dei soldi che la Chiesa ottenne da Mussolini come risarcimento per gli espropri subiti dopo l'Unità d'Italia, la holding Diversa è praticamente sconosciuta. Fondata a Lugano nell'agosto del 1942, mentre si combatteva in mezzo pianeta, da Stalingrado a El Alamein, oggi è presieduta da Gilles Crettol. Un potente avvocato svizzero che gestisce parte importante degli interessi vaticani Oltralpe: il suo nome spunta, infatti, in quasi tutte le altre società elvetiche riferibili al Vaticano.

Fino a qualche tempo fa il referente italiano di Diversa era Paolo Mennini, ex numero uno della "sezione straordinaria" dell'Apsa e storico cervello dell'amministrazione. In seguito allo scandalo che ha travolto il monsignore salernitano Nunzio Scarano – funzionario dell'Apsa finito indagato per corruzione – ai controlli effettuati dalla società di revisione Promontory per conto della Cosea e a una *due diligence* sui conti operata dalla McKinsey, gli uomini di papa Francesco hanno però deciso di voltare pagina e cambiare tutti quelli dell'ente amministrativo, sostituendo quindi anche Mennini: al suo posto, nei cda delle società svizzere, è comparso dal 2013 Franco Dalla Sega, presidente della bazoliana Mittel e manager di fiducia del nuovo boss delle finanze vaticane, il cardinale George Pell.

Riprendiamo la caccia, spostandoci dalla Svizzera all'Inghilterra. Qui la svizzera Profima controlla la British Grolux Investments Ltd, una società inglese fondata nel lontano 1933 per "diversificare" – spiegò nel 2005 lo storico John Pollard – gli investimenti ecclesiastici durante la Grande Depressione. Per la precisione fu il banchiere Bernardino Nogara, nominato nel 1929 numero uno della neonata Amministrazione speciale, a costruire l'immobiliare inglese.

Pezzo grosso della Banca commerciale italiana, già consigliere della Santa Sede per la stipula della convenzione finanziaria dei Patti lateranensi, fu Nogara a gestire i risarcimenti ottenuti da Benito Mussolini. Una valanga di denari: ai 750 milioni di lire liquidi (depositati inizialmente proprio sui conti della

Banca commerciale) si deve infatti aggiungere un miliardo di lire in titoli di Stato. Il professore di storia economica Maurizio Pegrari, autore della voce biografica "Nogara" sulla Treccani, ricorda che prima del suo arrivo gli investimenti finanziari "erano di norma affidati a banchieri europei – svizzeri, tedeschi, francesi, olandesi e inglesi – che si appoggiavano alle nunziature apostoliche presenti in questi paesi". Un sistema farraginoso e in alcuni casi persino "dilettantesco, a causa," continua Pegrari, "della mancanza di specifiche capacità di molti nunzi e dello stesso segretario di Stato di allora Pietro Gasparri. L'arrivo di Nogara portò ordine e competenza". Di fatto, il banchiere trasformò l'Amministrazione speciale in una specie di merchant bank che operava dappertutto. Non solo in Italia e in Europa, ma anche negli Stati Uniti (dove la raccolta dell'Obolo di San Pietro era assai cospicua nonostante la Grande Depressione) e in Argentina.

Nogara investì rapidamente i soldi ricevuti dai fascisti in azioni, obbligazioni e, ovviamente, nel mercato immobiliare, attraverso la creazione di società all'estero. Una scommessa che ha funzionato, e che ancora oggi dà i suoi frutti. D'oro. Se la holding parigina ha "attività" per 46,8 milioni, quella londinese è proprietaria nel centro città di case e palazzi, inclusi i negozi di lusso in New Bond Street e i locali della gioielleria Bulgari. Anche la sede della banca Altium Capital, all'angolo tra Saint James's Square e Pall Mall, secondo un'inchiesta del "Guardian" è stata acquistata dalla Grolux Investments per 15 milioni di sterline. La gestione degli immobili londinesi, a cui si aggiungono case e terreni a Coventry, fa guadagnare al Vaticano altri 38,8 milioni. Attraverso l'archivio della camera di commercio del Cantone di Lucerna, inoltre, scopriamo che la holding inglese aperta nel 1933 è gemella di un'altra società, aperta nel 1931 da Nogara per conto del Vaticano in Lussemburgo e chiamata "Le Groupement Financier Luxembourgeois", che risulta essere stata chiusa nel 1939. Non trattava solo immobili, ma anche flussi finanziari e investimenti in giro per il mondo: già allora nei futuri paradisi fiscali vigevano norme assai favorevoli dal punto di vista fiscale e gestionale, e la Chiesa se ne servì "per operare," chiosa ancora Pegrari, "con maggiore speditezza". Infine in Italia, oltre allo sterminato forziere di Propaganda Fide, l'Apsa controlla pure le società Sirea e Leonina, che a bilancio hanno ricavi per circa 16 milioni.

Ma l'Apsa a Roma è proprietaria di migliaia di appartamenti (in tutto il Vaticano nella Capitale ne conta circa 5000, ma non sanno nemmeno loro quanti ne posseggono in totale: in un altro studio della prefettura degli Affari economici si evidenzia tra le criticità dell'Apsa l'assenza di bilanci che mostrino il patrimonio immobiliare nella sua completezza) che valgono cifre importanti. Nel 2013 l'Apsa ha segnato in bilancio tre voci distinte: le proprietà in Inghilterra per 25,6 milioni, quelle in Svizzera per 27,7, mentre case, negozi, palazzi e appartamenti in Italia e in Francia per appena 342 milioni. Ma in Vaticano sanno bene che si tratta di una cifra sottostimata. Se gli investimenti inglesi valgono a bilancio solo 25 milioni di sterline (secondo l'inchiesta del "Guardian" agli attuali prezzi di mercato i palazzi del centro di Londra varrebbero 500 milioni di sterline, venti volte di più di quanto segnato dai contabili del papa), il documento interno della Cosea fa chiarezza sul punto, specificando che il portafoglio contabile Apsa deve essere moltiplicato per ben sei volte.

Affitti d'oro

Lasciate Parigi, Londra e Lucerna, la caccia al tesoro prosegue a Roma. Dopo l'Apsa l'altro grande proprietario vaticano è Propaganda Fide, la Congregazione per l'evangelizzazione dei popoli guidata dal cardinale Fernando Filoni. Un colosso finanziario che al 2012 possedeva titoli e conti bancari per circa 170 milioni di euro,

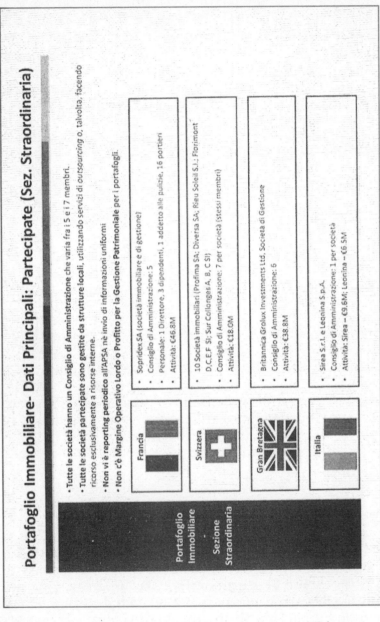

Portafoglio Immobiliare- Dati Principali: Partecipate (Sez. Straordinaria)

Portafoglio Immobiliare - Sezione Straordinaria

- Tutte le società hanno un Consiglio di Amministrazione che varia fra i 5 e i 7 membri.
- Tutte le società partecipate sono gestite da strutture locali, utilizzando servizi di outsourcing o, talvolta, facendo ricorso esclusivamente a risorse interne.
- Non vi è reporting periodico all'APSA nè invio di informazioni uniformi
- Non c'è Margine Operativo Lordo o Profitto per la Gestione Patrimoniale per i portafogli.

Francia
- Sopridex SA (società immobiliare e di gestione)
- Consiglio di Amministrazione: 5
- Personale: 1 Direttore, 3 dipendenti, 1 addetto alle pulizie, 16 portieri
- Attività: €46.8M

Svizzera
- 10 Società immobiliari (Profima SA; Diversa SA; Rieu Soleil S.I.; Florimont D.C.E.F SI; Sur Collonges A, B, C SI)
- Consiglio di Amministrazione: 7 per società (stessi membri)
- Attività: €18.0M

Gran Bretagna
- Britannica Grolux Investments Ltd, Società di Gestione
- Consiglio di Amministrazione: 6
- Attività: €38.8M

Italia
- Sirea S.r.l. e Leonina S.p.A.
- Consiglio di Amministrazione: 1 per società
- Attività: Sirea – €9.6M; Leonina – €6.5M

Le società immobiliari dell'Apsa all'estero.

e appartamenti nella Capitale iscritti a bilancio per una novantina di milioni. Una cifra ridicola: secondo la stessa Cosea i gioielli sparsi per le zone più belle di Roma valgono "450 milioni". Rischia anche questa di essere una valutazione troppo bassa: se in passato stime giornalistiche esagerate arrivavano a ipotizzare per Propaganda un tesoro vicino ai 9 miliardi, è probabile che i cinquecento appartamenti di Propaganda distribuiti in una sessantina di palazzi nelle zone più eleganti e lussuose di Roma valgano perlomeno un miliardo.

La congregazione, nata per diffondere il verbo di Gesù negli angoli più lontani e poveri del mondo e che ha il compito di coordinare le missioni evangeliche nei cinque continenti, possiede immobili e appartamenti mozzafiato a piazza di Spagna, nelle vicine vie della Vite e via Sistina. È proprietaria di mezza via Margutta e di attici meravigliosi in via del Babuino. Un portfolio che, grazie a donazioni costanti da parte dei fedeli, si ingrandisce di anno in anno: tra box, fabbricati e terreni, il numero di immobili in tutta Italia sfiora il migliaio, ma il 95 per cento delle proprietà è concentrato a Roma e in provincia.

Per metterle a reddito la congregazione le affitta. Non ai comuni mortali, ma a chi se lo può permettere, meglio se vip o politici. Se il conduttore di *Porta a Porta* Bruno Vespa paga 10 mila euro al mese per duecento metri quadrati a piazza di Spagna (a chi sostiene si tratti di una cifra bassa per uno degli attici più belli del mondo, il giornalista replica che ha investito mezzo milione di tasca sua per la ristrutturazione) sono o sono stati inquilini di Propaganda Cesara Buonamici del Tg5, lo stilista Valentino (che ha affittato un intero palazzo a piazza Mignanelli per i suoi uffici), il vicedirettore della Rai ed ex sottosegretario leghista del primo governo Berlusconi Antonio Marano, il giornalista Augusto Minzolini, alcuni dirigenti dei servizi segreti, l'ex commissario Agcom Giancarlo Innocenzi, il boiardo di Stato Andrea Monorchio, l'ex presidente dell'Enac Vito Riggio.

In alcuni casi, inoltre, le pigioni pagate dagli inquilini non appaiono in linea con i prezzi di mercato. A godere di un trattamento di favore è stato di certo Esterino Montino, ex presidente ad interim della Regione Lazio e pezzo grosso del Pd regionale, che ha vissuto ospite di Propaganda Fide in una delle vie più rinomate della città, via dell'Orso. Prezzo di affitto del locale: 360 euro al mese per centodieci metri quadrati, che Montino divideva con la sua compagna, la senatrice democrat Monica Cirinnà. "L'abbiamo ristrutturata a spese nostre, abbiamo messo 150 milioni di vecchie lire", la giustificazione dell'attuale sindaco di Fiumicino, che s'è visto nel 2010 – dopo dodici anni di sconti record – aumentare il canone a 3 mila euro, l'effettivo valore di mercato di quella zona.

Talvolta, Propaganda Fide decide di vendere qualche immobile per fare cassa. Non sempre al prezzo giusto: nel 2004 l'ex ministro dei Trasporti Pietro Lunardi è riuscito a comprarsi, attraverso un mutuo acceso da una società immobiliare amministrata dal figlio, un intero palazzo di cinque piani in via dei Prefetti, in pieno centro storico, pagando appena 3 milioni di euro. La magistratura perugina accusò lui e l'allora prefetto della congregazione Crescenzio Sepe di corruzione: in cambio del prezzo stracciato, secondo l'accusa, il ministro avrebbe concesso attraverso la società pubblica Arcus un finanziamento di 2,5 milioni a Propaganda Fide per realizzare un museo nella sede seicentesca della congregazione (progettata dal Bernini e finita dal Borromini) affacciata su piazza di Spagna. L'inchiesta si è conclusa con un nulla di fatto, e la posizione dei due è stata archiviata perché secondo i giudici del collegio per i reati ministeriali del tribunale di Perugia era intervenuta la prescrizione. Lo stesso anno in cui il Vaticano vendeva a Lunardi il cielo-terra a prezzi di saldo, anche Nicola Cosentino, ex potentissimo segretario all'Economia del governo Berlusconi arrestato per presunti rapporti con il clan dei Casalesi, faceva buoni affari con Propaganda, acquistando una casa di centocinquanta metri quadrati a 630 mila euro: non male, per un appartamento al terzo piano di una via elegante del quartiere Prati dove i prezzi rischiano di essere quasi doppi rispetto a quelli pagati dal politico. "È vero, mia moglie è titolare dell'appartamento, che stiamo ancora pagando attraverso un mutuo," ha spiegato Cosentino in un'intervista. "Respingo qualunque insinuazione, non è vero che quella casa mi è stata venduta a un prezzo di favore, a metà del valore. Me la segnalò un conoscente di Caserta."

Propaganda è generosa con tutti, anche se i soldi guadagnati dalle compravendite servirebbero ad aiutare le missioni. Quattro anni dopo aver venduto a Lunardi e Cosentino, la congregazione fa realizzare un affare d'oro anche a una piccola società di mediazione immobiliare di Busto Arsizio, che nel 2008 ha venduto a Propaganda un intero palazzo nobiliare. L'operazione, stavolta, è seguita dal successore di Sepe, il prefetto e cardinale Ivan Dias che vive in un appartamento di dodici stanze al primo piano del palazzo oggetto della compravendita: è lui a decidere che il Vaticano deve comprarsi l'immobile. Come scrive Carlo Bonini in un'inchiesta su "Repubblica", il Vaticano investe 20,3 milioni di euro. Una cifra importante. Anche perché la Spa lombarda ha comprato gli stessi immobili dalla Banca Italease per appena 9 milioni. Non si tratta di una rivalutazione temporale, però: gli intermediari comprano il palazzo la mattina del 30 maggio 2008, e lo rivendono al Vaticano il pomeriggio stesso, ma a prezzo più che raddoppiato.

Se la plusvalenza record sembra penalizzare Propaganda, anche lo Stato italiano non ha guadagnato un euro dei 4 milioni in tasse che avrebbe dovuto ricevere dalla transazione: "La parte acquirente [Propaganda Fide] ai fini fiscali dichiara che il presente atto è integralmente esente dall'Iva, dall'imposta di registro, dalle imposte ipotecaria e catastale, da qualsiasi altra imposta diretta o indiretta e da tributi ordinari e straordinari ai sensi dei Patti lateranensi del 1929," si legge nel contratto d'acquisto. Traducendo, anche quella porzione di palazzo comprato al centro di Roma gode dei vantaggi dell'extraterritorialità garantiti dallo Stato italiano a moltissimi altri immobili della congregazione, che pure paga circa 2 milioni l'anno di Imu.

L'era del cardinale Crescenzio Sepe (che si affidò, per la gestione di case e appartamenti, ad Angelo Balducci: il capo della "cricca" che gestiva i Grandi Eventi era infatti uno dei tre "consultori" di Propaganda Fide) è finita nel 2006, e quella del prefetto Dias s'è conclusa nel 2011. Oggi il "papa rosso" è Fernando Filoni, e sta cercando di rimettere in ordine i conti e i canoni, facendo chiamare dai segretari gli inquilini vip e spiegandogli che, alla fine del contratto, la retta annuale sarà innalzata ai prezzi di mercato.

Gli affitti troppo bassi e quelli di favore sono infatti uno dei punti critici analizzati dalla Cosea. Perché, se l'impero immobiliare ha permesso al Vaticano di raggiungere, nel 2013, "un reddito totale da locazione di 88 milioni di euro, dei quali 65 milioni compresi nel conto economico della Santa Sede e due milioni nel conto economico consolidato della Città Stato Vaticano", molto si potrebbe ancora fare per migliorare le entrate. "Prima di tutto," spiegano i membri della Commissione, "si è osservata duplicazione di attività tra le venti istituzioni che gestiscono beni immobiliari. Esistono inoltre importanti mancanze strategiche: canoni di locazione molto bassi (incremento potenziale del reddito di almeno 25-30 milioni senza impatto sull'impegno della Santa Sede nell'offrire appartamenti a bassi canoni ai dipendenti); uso inefficiente delle unità (per esempio la Libreria editrice vaticana possiede un grande magazzino in un edificio prestigioso in piazza San Calisto); nessuna gestione del tasso di rendimento e nessuna trasparenza sul valore di mercato dei beni." Critiche durissime. Soprattutto contro favoritismi e raccomandati di ogni risma: i membri della commissione sottolineano infatti che ci sono dipendenti che rimangono dentro le case dell'Apsa o di Propaganda Fide a prezzi di favore anche "otto anni dopo il termine del loro impiego" nella Santa Sede, mentre troppo facilmente gli inquilini riescono a ottenere "una riduzione sul canone su richiesta specifica".

Una montagna di soldi

Oltre all'immenso real estate, il Vaticano possiede azioni, liquidi, obbligazioni, suoi e per conto terzi, e asset finanziari che valgono tra gli otto e i nove miliardi di euro in totale. Di cui, si legge nel documento che ipotizza la creazione del Vatican Asset Management, "l'85 per cento investiti in azioni, il 5 per cento in conti bancari, il 5 per cento in fondi esterni, il 3 per cento in obbligazioni e un 1 per cento in oro e materie prime". Gran parte della montagna di denaro del Vaticano è conservata allo Ior e all'Apsa, l'ente che Bergoglio vorrebbe trasformare in una banca centrale.

Partiamo da qui. Oggi le chiavi della sua cassaforte sono conservate nelle tasche dal cardinale Domenico Calcagno, uno degli ultimi bertoniani rimasti in circolazione nel nuovo regno di Francesco. A differenza dell'Istituto per le opere di religione, il bilancio non è di dominio pubblico. Almeno finora. Leggendo la sintesi del bilancio, si scopre che l'ente ha attivi per 998 milioni di euro (anno 2013), e che il portafoglio investimenti in euro ha superato nel 2013 la bellezza di 475 milioni, a cui bisogna aggiungere investimenti in titoli per 137 milioni di dollari, 33 milioni di sterline inglesi e 17 milioni di franchi svizzeri. L'Apsa si muove come un istituto di credito, e risulta abbia prestato un sacco di soldi in giro: alla voce "crediti verso le banche" ci sono infatti 162,7 milioni di euro, 24,5 milioni di dollari, 8 in sterline, 4,5 in franchi svizzeri e ben 29,2 in yen.

Leggendo i dati dell'anno 2013 si scopre che l'Apsa detiene oro per "30,8 milioni: la voce corrisponde a 32.232 once in lingotti e a 3122 once d'oro monetato. Il valore è diminuito di 12,4 milioni di euro rispetto all'esercizio precedente". Un valore che, mentre scriviamo, è nuovamente cresciuto, ed è – a fine 2015 – superiore ai 40 milioni. Anche lo Ior (spulciando il bilancio 2014, questo invece pubblico) conserva lingotti per 33 milioni di euro, depositati presso la Federal Reserve e il caveau sotto il torrione.

Qualcuno, però, sospetta che si tratti di dati parziali, e che altra parte delle riserve auree del Vaticano sia oggi conservata nei forzieri svizzeri e in Inghilterra. Sono però solo speculazioni: parte cospicua del metallo giallo è stata venduta tra gli anni novanta e l'inizio del nuovo secolo dal cardinale Rosalio José Castillo Lara, ex presidente dell'Amministrazione dal 1989 vicinissimo a Giovanni Paolo II. Un'operazione che servì a risanare le finanze della Santa Sede, che al tempo versavano in condizioni difficili. Quando il cardinale venezuelano entrò all'Apsa, infatti, fu costretto a una serie di operazioni eccezionali, necessarie a coprire i disastri finanziari causati dal ras dello Ior Paul Marcinkus e dallo scandalo del crac del Banco Ambrosiano, che prosciugò parte importante della liquidità della Santa Sede investita nell'istituto meneghino di cui aveva la maggioranza.

Oltretevere il rosso a fine anno era risultato fisso, tanto che il deficit dello Stato sfiorò, nel 1990, i 100 miliardi di lire. Figlio d'arte (lo zio era l'arcivescovo di Caracas), educato dai salesiani di don Bosco, il cardinale venezuelano fu nominato con l'obiettivo prioritario di risanare i conti. Temuto, potente e carismatico (dietro le mura circola ancora il detto che l'acronimo della targa delle auto vaticane SCV si scioglie in "Se Castillo Vuole"), il sudamericano tra il 1989 e il 1995 riuscì a diventare contemporaneamente capo dell'Apsa, presidente della Pontificia commissione per lo Stato della Città del Vaticano e presidente della Commissione cardinalizia di supervisione sulla Banca vaticana. Castillo Lara all'Apsa riuscì a ristrutturare il disavanzo che affliggeva i sacri palazzi da un quarto di secolo tagliando costi, costringendo le diocesi nel mondo a contributi rilevanti, vendendo pezzi pregiati dell'argenteria di famiglia (l'oro conservato all'Apsa, in primis) e investendo con oculatezza assai profittevole i miliardi della banca che presiedeva. Operazione riuscita: se nel 1991 la Santa Sede chiudeva un annus horribilis con un buco da 100 miliardi e 748 milioni di lire, nel 1993 la cura di Castillo Lara portò a un primo attivo da 2,4 miliardi di lire. Un capolavoro reso possibile, pure, da colpi di teatro, e invenzioni come la fondazione "Centesimus Annus – Pro Pontifice", fortemente voluta dal sudamericano e da Giovanni Paolo II. Creata nel 1993 con l'obiettivo dichiarato di promuovere attraverso opere e convegni i valori cristiani esposti dal pontefice nelle encicliche, l'organismo nasce come un think-tank a stelle e strisce, una lobby in cui prelati e monsignori incontrano imprenditori romani e finanzieri cattolici. Castillo e l'amico Andrea Gibellini (al tempo manager della Popolare di Bergamo, fu piazzato da Castillo Lara come nuovo direttore generale dello Ior) riuscirono ad affiliare alla fondazione la Cariplo, l'Ambroveneto, la Bna, il San Paolo di Brescia, esponenti della finanza bianca come Giovanni Auletta e Giovanni Bazoli, passando per presidenti di società di calcio come Luigi Corioni (Brescia) ed Ernesto Pellegrini (ex patron dell'Inter), e imprenditori come Alberto Falck, Emilio Riva, Franco Panini, Giampiero Pesenti e Giuseppe Garofano, ex numero uno di Montedison. Tutti si iscrissero al "Centesimus Annus" versando una fiche da 50 milioni di lire a testa. In tutto, tra persone fisiche e aziende, i soci fondatori sono 70, per un capitale versato che superò subito i 3,5 miliardi di lire.

Per la cronaca, la fondazione esiste e lotta insieme

a noi ancora oggi: organizza convegni e corsi di studio, finanzia il premio internazionale "Economia e Società" (il vincitore prende 30 mila euro), ma soprattutto sembra accrescere di continuo le sue entrate: tra conti e titoli vale attualmente 5,2 milioni. Gestiti dal cda in cui sono passati personaggi come il conte Lorenzo Rossi di Montelera (oggi semplice membro ma già presidente), Grazia Bottiglieri Rizzo, leader dell'omonima società di navigazione, la principessa Camilla Borghese Khevenhüller, l'ingegnere Federico Falck, il principe Alois Konstantin zu Löwenstein e il maltese Joseph Zahra, oggi tra gli uomini più influenti del Vaticano.

Qualche mese dopo il battesimo del "Centesimus Annus", però, la parabola di Castillo Lara cominciò la sua discesa, zavorrato dallo scandalo Tangentopoli e dalla maxitangente Enimont pagata dai Ferruzzi, lavata in Vaticano dal lobbista Luigi Bisignani e poi smazzettata tra i partiti. Anche i Ferruzzi erano infatti stati accolti nella neonata fondazione, e nello Ior Lara era presidente della Commissione cardinalizia, cioè l'organismo che avrebbe dovuto vigilare su possibili operazioni di riciclaggio. "I Ferruzzi mi hanno raggirato," si difenderà sempre Castillo, che tre anni più tardi lascerà il suo incarico e le chiavi della cassaforte. Passate prima a Lorenzo Antonetti, poi ad Agostino Cacciavillan, infine al cardinale Attilio Nicora e da ultimo a Domenico Calcagno: il cardinale bertoniano è stato promosso presidente da papa Ratzinger, ma è stato confermato anche da Francesco.

Torniamo al presente, e al bilancio dell'Apsa. La Cosea, sulla gestione made in Calcagno, ci va giù pesante. "A oggi, rispetto a rischio e rendimenti degli investimenti dell'Apsa, sappiamo pochissimo. Questo è dovuto al fatto che non ci sono linee guida chiare, target chiari, mancano sistemi di misurazioni delle performance," si legge nel documento sul Vam (Vatican Asset Management) del 2014. In un altro report si riassume che l'Apsa, per diventare la nuova banca centrale vaticana, deve fare ancora molta strada. "Attualmente è un ibrido che svolge diverse funzioni. Ci sono una serie di inefficienze, rischi reputazionali, rischi finanziari, rischi di perdite di ricavi (soprattutto nel real estate, come vedremo) e rischi operativi, poiché la mancanza di procedure robuste potrebbe portare facilmente a pratiche illecite e frodi." Proprio così: come allo Ior, anche all'Apsa "dall'analisi dei conti sono emersi rischi di riciclaggio di denaro e frode". Una notizia choc, per chi sperava che il Vaticano potesse mettersi in ordine attraverso la sola riforma dello Ior. Promontory, la società americana di consulenza che ha fatto le pulci ai conti dello Ior e ai bilanci degli enti vaticani, ha elencato per l'Apsa ben novantadue raccomandazioni, "che se attuate dal prossimo futuro migliorerebbero notevolmente la situazione corrente. Devono essere attuate con molta urgenza".

C'è infine un dato che la Cosea non segnala nel documento in possesso di chi scrive, ma presente nel bilancio dell'Apsa ed essenziale per capire l'entità degli sprechi e della spending review che il papa ha annunciato di effettuare sui vari dicasteri: i costi della curia vaticana, solo nell'anno di grazia 2013, hanno provocato nei conti dell'organismo un buco di 77 milioni di euro, coperto grazie a un contributo diretto dell'Apsa stessa e a un "contributo della segreteria di Stato" di 55 milioni di euro.

Mi faccio la fondazione

D'altronde in Vaticano trovare denari in più non è operazione troppo difficile. Sulla mappa del tesoro non c'è disegnata solo una croce, ma è indicato di scavare praticamente dappertutto. L'ente intitolato al "Centesimus Annus – Pro Pontifice" è sola una delle fondazioni che spuntano fuori dalla relazione della Kpmg del 2014, che ha trovato e indagato sui bilanci di varie istituzioni vaticane "non inclusi nel bilancio consolidato della Santa Sede".

Ci sono i penitenzieri di San Paolo, che gestiscono attività per 9,9 milioni di euro, l'Opera romana pellegrinaggi che ha entrate per 33 milioni di euro: controllata dal vicariato di Roma, si legge nell'opuscolo con cui organizzano viaggi, "rappresenta un modello unico di riferimento per chiunque voglia scoprire la bellezza e la profondità del pellegrinaggio e del cammino. Abbiamo accompagnato e accompagniamo migliaia di pellegrini alle radici della storia del cristianesimo, offrendo un'attenta assistenza spirituale e tecnico-organizzativa, curata in ogni dettaglio". Il profitto netto, nell'ultimo bilancio, è arrivato a 3,7 milioni. Ricchi anche gli asset del pontificio istituto "Notre Dame" di Gerusalemme. Un centro religioso che Giovanni Paolo II affidò ai Legionari di Cristo nel 2004, e che incassa, secondo Kpmg, circa 7,8 milioni di euro l'anno, grazie alle stanze che affitta ai pellegrini in Terra Santa. Più che un "istituto religioso e culturale", infatti, il "Notre Dame" è un albergo di lusso con ristorante e roof garden: chi scrive ha cercato di prenotare una stanza il 25 settembre 2015 per due adulti, trovando camere "economiche" da 260 euro a notte. Chi vuole una "spettacolare vista sul Monte degli Olivi" deve però pagare 310 euro, che salgono a 520 euro per la meravigliosa "cardinal suite" (si chiama proprio così) o a 570 euro a notte per la "mosaic suite", dove i legionari offrono a chi se lo può permettere un ambiente di lusso con "archi in pietra, piastrelle e pareti a mosaico con motivi biblici, che si affacciano sul magnifico panorama della città vecchia invitandovi a rilassarsi e riflettere. È dotato di bellissimi mobili antichi, un salotto, tv, coffee station, minibar, un'antica scrivania e connessione a Internet".

La fondazione vaticana Joseph Ratzinger-Benedetto XVI è invece più recente. È nata il primo marzo del 2010 con lo scopo, spiega lo statuto, di promuovere la conoscenza e lo studio della teologia, e quello di premiare "studiosi che si sono contraddistinti per particolari meriti nell'attività di pubblicazione". Secondo Kpmg oggi il suo patrimonio è arrivato a 4,6 milioni di euro, praticamente raddoppiato rispetto alla dotazione iniziale di 2,4 milioni, ovviamente depositati in un conto allo Ior. Solo nel 2013 il profitto netto della fondazione intitolata al papa emerito è stato di 1,3 milioni, derivanti in parte dalla gestione dei diritti d'autore dei libri di Benedetto XVI (ma è lui che di anno in anno decide se e quanto mettere), da lasciti e sponsorizzazioni. Evidentemente il presidente monsignor Giuseppe Scotti e il consigliere Georg Gänswein, segretario particolare dell'ex pontefice, sanno fare fundraising come pochi. E risparmiare bene: sia nel 2010 che nel 2011 sono stati spesi 582 mila euro tra convegni, i costi del Premio Ratzinger (il vincitore prende 30 mila euro) e alcune borse di studio destinate a sacerdoti particolarmente dotati. I ricavi, però, sono stati molto più alti, consentendo di mettere da parte un tesoretto di 300 mila euro. Per la cronaca, vicepresidente è stato per lungo tempo Paolo Cipriani, l'ex direttore dello Ior indagato nel 2010 per violazione della normativa antiriciclaggio e oggi alla sbarra davanti ai giudici di Roma.

Anche l'amatissimo Wojtyla ha avuto l'onore di vedersi intitolata una fondazione, la "Fundacja Jana Pawla II" creata nel 1981 per promuovere e realizzare "iniziative di carattere scientifico, culturale, religioso e caritativo" connesse con il pontificato del primo pontefice polacco. Dal 2007 presidente è il cardinale Stanislaw Rylko, capo del Pontificio consiglio per i laici, mentre fino al 2004 ne era pro-presidente Stanislaw Dziwisz, lo storico segretario del papa diventato santo. Secondo la due diligence di Kpmg, è arrivata ad avere tra conti e beni vari un patrimonio da 10,7 milioni di euro.

Scartabellando tra documenti e bilanci, sorprende come enti nati con l'intento di fare beneficenza o per sostenere attività di studio e formazione conservino spesso i loro soldi in cassaforte, e che spendano poco, o nulla, rispetto alle loro missioni: la fondazione Civitas Lateranensis, tra il 2009 e il 2011, nonostante un patrimonio in conti e titoli passato da 2,3 a 2,7 milioni, ha speso, il primo anno preso in considerazione dai revisori della prefettura degli Affari economici, 17 mila euro, il secondo 20 mila e il terzo appena 7 mila: istituita il 19 aprile 1996 da Giovanni Paolo II "il suo fine istituzionale è la promozione della Pontificia università lateranense".

Il rapporto Moneyval, l'organismo del Consiglio d'Europa chiamato a valutare la conformità degli Stati alle normative internazionali antiriciclaggio, ha svelato che quasi tutte le fondazioni canoniche hanno un conto allo Ior: gli esperti della Ue hanno trovato al torrione della banca vaticana cinquanta titolari e per questo hanno chiesto che anche le fondazioni fossero sottoposte al controllo dell'Autorità di informazione finanziaria del Vaticano, al pari dello Ior e dell'Apsa. "Poiché queste fondazioni giocano un ruolo significativo nel finanziamento delle attività dello Stato della Città del Vaticano e delle opere sociali e religiose della Santa Sede," si legge al paragrafo 326 del Rapporto aggiornato a fine 2011 e pubblicato nel 2012, "come tali devono essere al di sopra di ogni sospetto, e l'Aif dovrebbe avere indiscutibile accesso a tutte le rilevanti informazioni tenute da queste fondazioni." Non sappiamo se l'Aif abbia già messo il naso nelle movimentazioni dei conti, ma una cosa è certa: Francesco – in un motu proprio dell'8 agosto del 2013 – ha deciso che la legislazione antiriciclaggio deve riguardare ogni ente giuridico vaticano, non solo banche e dicasteri, ma anche le organizzazioni senza scopo di lucro "aventi personalità giuridica canonica e sede nello Stato della Città del Vaticano".

Zero carità

I denari in Vaticano si trovano dappertutto. E, quando ce ne sono tanti, è facile che non manchino nemmeno gli sprechi. Un cruccio, per Francesco, che vorrebbe limitarli il più possibile, bloccando rigagnoli infruttuosi per deviarli su attività evangeliche, come la carità e l'aiuto ai bisognosi. Partiamo dalla Cappella musicale pontificia, definita "un coro polifonico con sede nella Città del Vaticano preposto all'accompagnamento musicale delle liturgie presiedute dal papa e diretto da monsignor Massimo Palombella", che spendeva ai tempi di Ratzinger fino a 1,6 milioni di euro l'anno (dato dell'ultimo bilancio). Il coro personale del pontefice si chiama "Sistina", e spende gran parte dei soldi per viaggi all'estero per "progetti ecumenico-musicali": nel 2015 i coristi hanno innalzato potenti "Alleluja" anche a Oxford cantando insieme ai colleghi anglicani, facendo anche un passaggio a Londra e in Cina, dove si sono esibiti in una tournée a Macao, Hong Kong e Taipei.

Se la società che stampa "L'Osservatore Romano" brucia quasi 5 milioni l'anno, Radio Vaticana ne perde circa 26, "con deficit in aumento e nessun intento risolutivo per aumentare i ricavi," attacca un altro report della prefettura degli Affari economici del 2013. Mentre per "la vigilanza, la sicurezza e la protezione del papa all'interno del palazzo apostolico e durante i suoi viaggi" il Vaticano solo nel 2011 ha speso 5,8 milioni di euro: è il costo tra stipendio, vitto e alloggio della Guardia svizzera, il corpo che presiede armato di alabarda alle cerimonie nella basilica di San Pietro e nell'aula Paolo VI. Anche l'inaccessibile archivio segreto vaticano ha solo uscite (5,8 milioni l'anno) e zero ricavi. Al contrario della biblioteca apostolica: grazie a una collezione di 180 mila volumi manoscritti o d'archivio, 1,6 milioni di libri stampati, più di 8600 incunaboli aperta al pubblico riesce a fare utili netti tutti gli anni, a cui somma un patrimonio in banca di circa 4,3 milioni di euro.

Ma una delle voci più interessanti analizzate dai revisori di Kpmg è quella relativa all'Obolo di San Pietro. Il Vaticano lo definisce, letteralmente, un "aiuto economico che i fedeli offrono al Santo Padre, come segno di adesione alla sollecitudine del successore di Pietro per le molteplici necessità della Chiesa universale e per le opere di carità in favore dei più bisognosi". Di fatto si tratta di una colletta le cui origini sono collocate alla fine dell'VIII secolo, e istituzionalizzata da papa Pio IX con l'enciclica *Saepe Venerabiles* del 5 agosto 1871 come gesto di carità dei cattolici di tutto il mondo verso il pontefice. Le offerte economiche vengono raccolte tradizionalmente il 29 giugno di ogni anno, e nel 2013 – grazie all'effetto Francesco, papa amatissimo e popolare – sono stati raccolti in tutto il pianeta 78 milioni, in crescita rispetto ai 66 dell'anno precedente (ma ancora lontani dai tempi d'oro pre-crisi finanziaria dove venivano superati gli 80 milioni di euro).

Come vengono spesi questi soldi? Benedetto XVI definì l'Obolo un aiuto animato dall'amore che viene da Dio: "Dunque è molto importante che l'attività caritativa della Chiesa mantenga tutto il suo splendore e non si dissolva nella comune organizzazione assistenziale," disse. Carità per i malati, denaro dato agli umili e ai mendicanti, soldi per l'evangelizzazione: a queste cause sono destinati i frutti della colletta. Anche Giovanni Paolo II il 28 febbraio del 2003 aveva spiegato che l'Obolo di San Pietro serve innanzitutto "a rispondere alle richieste di aiuto che giungono da popolazioni, individui e famiglie che versano in condizioni precarie. Tanti attendono dalla Santa Sede un sostegno che spesso non riescono a trovare altrove". Il Vaticano è ancora più esplicito: grazie all'Obolo il papa, come pastore di tutta la Chiesa, "si preoccupa anche delle necessità materiali di diocesi povere, istituti religiosi e fedeli in gravi difficoltà, come poveri, bambini, anziani, emarginati, vittime di guerre e disastri naturali; aiuti particolari a vescovi o diocesi in necessità, educazione cattolica, aiuto a profughi e migranti".

I documenti della Cosea, però, rivelano che solo una parte delle offerte mandate al papa viene spesa davvero. La carità dei fedeli (esiste anche un conto Iban dedicato) è andata a gonfiare un fondo che non compare nel bilancio della Santa Sede, e che nel 2013 ha toccato i 378 milioni di euro. "Tutte le entità menzionate nella *Pastor Bonus* sono incluse nel perimetro di consolidamento," riassumono i commissari della dissolta commissione pontificia commentando le analisi di Kpmg, "ma non tutti i fondi esistenti in queste entità, prevalentemente denaro liquido e titoli, sono riportati nel bilancio di esercizio. Tra gli attivi non consolidati i fondi esclusi dal bilancio consolidato ammontano a non meno di 471 milioni di euro; di questi, 378 corrispondono all'Obolo di San Pietro. Questi fondi sono depositati su conti bancari presso lo Ior, l'Apsa e altre banche." Un dato choccante. Il ricchissimo Obolo è gestito direttamente dalla prima sezione della segreteria di Stato (retta fino al 2013 dal cardinal Tarcisio Bertone e oggi dal successore Pietro Parolin) che da lustri investe i denari del fondo come meglio crede.

Un paragrafo del rapporto Moneyval fa luce anche sulla reale destinazione finale dei denari raccolti: "L'Obolo di San Pietro, che comprende i contributi alle opere di carità del papa provenienti dalle parrocchie, dalle fondazioni e dai singoli credenti nonché dagli Istituti di vita consacrata e le Società di vita apostolica, ammontava a 67.704.416 euro nel 2010. Gli esborsi erano costituiti principalmente da spese ordinarie e straordinarie dei dicasteri e delle istituzioni della curia romana". In pratica i soldi dell'Obolo, quando non sono conservati sotto il materasso o investiti sui mercati finanziari, vengono usati per le necessità economiche dei dicasteri e dei cardinali romani, e non in opere di carità.

High level findings KPMG work on consolidation perimeter

Main conclusions

- Consolidation perimeter. All the entities mentioned in the Pastor Bonus Constitution are included in the scope of consolidation, but not all of the funds (mainly cash and securities) existing in these entities form part of the annual accounts.

- Assets not consolidated. The funds excluded from the consolidated annual accounts amount to no less than Euros 471 million, Euros 378 million of which correspond to Peter's Pence. These funds are deposited in bank accounts at IOR, APSA or other banks.

- Other assets. Other funds exist which are not included in the consolidation or deposited in the bank accounts and are kept in safes at the Congregations, Councils etc. It is therefore difficult to calculate the total amount of cash, as funds deposited in bank accounts can be traced, whereas cash kept at the Dicasteries and other Institutions cannot be identified.

- Consolidation at APSA level. APSA carries out the accounting of most of the Dicasteries grouped together. This makes it impossible to identify individual expenses and income, bank balances and assets for each of the Dicasteries and other Institutions and prevents these entities from adequately managing their funds.

Urgent measures to be taken

- Funds deposited at banks but not consolidated. Urgent freezing of those bank accounts opened under the name of the Dicasteries or other Holy See Institutions and which are not included in the annual accounts.

- Funds not deposited nor consolidated. Request declarations from the Curia Institutions of cash, securities, ownership titles etc. not deposited with IOR or APSA. Request that these items be deposited immediately in the aforementioned bank accounts.

- Proper consolidation. Break down the financial information prepared by APSA and assign ownership of assets and liabilities to each of the Holy See Institutions. Include cash balances, securities etc. outside the consolidation cycle to obtain full accounts at 30 June 2014.

- Way to IPSAS. Taking as a basis these accounts, make the necessary adjustments to adopt International Public Sector Accounting Standards (IPSAS) at the reporting date of the individual and consolidated annual accounts of the Holy See at 31 December 2014.

Measures to be taken in 2014

- Accounting centralization. Set up a single accounting centre with the capacity for legislation, management and control, to deal with accounting standards and internal control in order to strictly monitor the treatment of accounting events and enable the segregation of functions regarding the management of funds.

- IT centralization. Likewise, unify the IT systems into a single platform integrating the accounting and budgetary information of the Holy See Institutions.

La sintesi del rapporto dei revisori di Kpmg sul bilancio vaticano del 2013. Al secondo punto i dati sull'Obolo di San Pietro.

2.

Ior, bugie e conti segreti

L'insonnia del ricco consuma il corpo,
i suoi affanni gli tolgono il sonno.
Le preoccupazioni dell'insonnia non lo
lasciano dormire, come una grave ma-
lattia bandiscono il sonno.

SIRACIDE 31, 1-2

La Cosea, sintetizzando il rapporto di Kpmg sugli attivi fuori bilancio, chiarisce che oltre all'Obolo "esistono altri fondi non inclusi nel consolidamento o depositati in conti bancari o in cassaforte presso le congregazioni, i consigli ecc. È pertanto difficile calcolare l'ammontare complessivo di denaro liquido, poiché i fondi depositati su conti bancari sono tracciabili, mentre il denaro conservato presso i dicasteri e altre istituzioni non può essere identificato".

Quello che (almeno in parte) è più chiaro, invece, è quanto c'è dentro lo Ior. Rivoltare come un calzino la banca vaticana, ultima tappa della caccia al tesoro nella Santa Sede, è stato uno dei primi obiettivi di Francesco. Dal crac del Banco Ambrosiano, con corollari drammatici come la morte di Michele Sindona e del presidente Roberto Calvi trovato impiccato a Londra sotto il ponte dei Frati neri, passando per Tangentopoli e il riciclaggio della tangente Enimont fino agli scandali finanziari del sacerdote di origini lituane Paul Marcinkus e di Donato De Bonis, l'Istituto per le opere di religione è diventato per l'opinione pubblica un simbolo di ogni nefandezza, di operazioni sospette, storie oscure, vicende controverse.

Un buco nero che ha sfornato dal 1942, data della istituzione dello Ior, al 2015 decine di casi finiti sulle

cronache giudiziarie, con la banca protagonista assoluta anche nelle recenti inchieste sui Grandi Eventi
(l'imprenditore e gentiluomo di Sua Santità Angelo
Balducci aveva un conto all'istituto) e sul riciclaggio,
che hanno coinvolto sia un prelato dell'Apsa, Nunzio
Scarano, sia Paolo Cipriani e Massimo Tulli, rispettivamente il direttore della banca e il suo braccio destro.
Appena arrivato, nel luglio 2013, Francesco an-
nunciò di non sapere ancora se riformare l'istituto o
fargli chiudere i battenti. "Alcuni dicono che forse è
meglio che sia una banca, altri che sia un fondo di aiuto, altri dicono di chiuderlo," spiegò ai giornalisti prima di decidere, qualche mese dopo, che lo Ior avrebbe
continuato a fornire "servizi finanziari specializzati
alla Chiesa cattolica in tutto il mondo", con maggiore
trasparenza e più onestà. Uno dei primi risultati fu l'a-
pertura di un sito Internet e la pubblicazione, a ottobre
2013, del primo rapporto annuale in cui si elencano per
grandi numeri patrimoni, asset, società controllate e
depositi di terzi. L'ultimo rapporto è stato pubblicato
nel 2015, riferito all'anno precedente. Ebbene, se la
banca ha un patrimonio netto di 695 milioni, gestisce
per i propri clienti quasi 6 miliardi di euro, tra depositi sui conti e gestioni patrimoniali. E se il valore dei
depositi è crollato, gli investimenti finanziari sono
cresciuti di quasi un miliardo rispetto ai dati del 2008:
i clienti sono alla ricerca di tassi di interesse un po' più
alti rispetto a quelli garantiti dai soli depositi. La metà
degli utenti, scrive il rapporto, è costituita da ordini
religiosi, seguiti dagli uffici della Santa Sede e dalle
nunziature apostoliche, da cardinali, vescovi e monsignori (il 9 per cento) e dalle diocesi. In tutto sono 15
mila (numero crollato rispetto ai 25 mila del 2012) e
sono quasi tutti italiani o residenti nella Città del Vaticano: su 6 miliardi di euro, solo 700 milioni sono appannaggio di clienti di altri paesi europei, dell'Africa o
dell'America. L'utile netto della banca è stato di 69,3
milioni, di cui 55 finiti come dividendo nelle casse della Santa Sede.

Lo Ior controlla anche una piccola società immobiliare (la Sgir, che possiede a Roma immobili in bilancio per 2,1 milioni di euro), e un portafoglio obbligazionario imponente che ha visto deteriorarsi il suo rating Standard&Poor's: in seguito al peggioramento dei rischi sui debiti sovrani di alcuni paesi di cui il Vaticano ha comprato titoli di Stato (in primis l'Italia), anche la classificazione del rischio delle obbligazioni in pancia all'istituto è peggiorata: il 53 per cento dei titoli è compreso tra le fasce BBB+, BBB, BBB-, BB, obbligazioni ancora sicure ma non a rischio zero.

In un altro documento interno sui dati del primo trimestre del 2015 e mai pubblicato prima, si scoprono altri dettagli sugli emittenti dei titoli del portafoglio dello Ior: il 19 per cento degli investimenti totali è stato fatto sui titoli di Stato italiani, il 10 per cento su quelli della Spagna, il 3 per cento su quelli francesi e il 2 su quelli americani. Ma lo Ior ha investito anche in titoli del Banco Santander fondato da Emilio Botín (da sempre considerato istituto vicino all'Opus Dei, vale il 4 per cento del portafoglio dello Ior), della tedesca Lbbw (4 per cento), dell'olandese Rabobank (2 per cento), e nel gruppo giapponese Nomura. "La mia preghiera è che l'istituto lavori non semplicemente per far crescere un patrimonio perché questo, in sé, è totalmente privo di significato. Invece mi auguro che l'istituto vada verso una trasformazione per consentire ai principi del Vangelo di permeare anche le attività di natura economica e finanziaria," ha scritto in una lettera pubblicata nella relazione 2015 il prelato della banca monsignor Battista Ricca.

A parte il dividendo da 55 milioni di euro, lo Ior gestisce anche quattro fondi di carità. "Attraverso tali fondi sono stati effettuati significativi esborsi per beneficenza nel corso degli anni," mette per iscritto lo Ior nel rapporto 2015. Sarà, ma incrociando le tabelle i preti non sembrano essersi svenati per i meschini e i disgraziati: nel 2013 e nel 2014 il fondo a disposizione della Commissione cardinalizia guidata dal cardinal

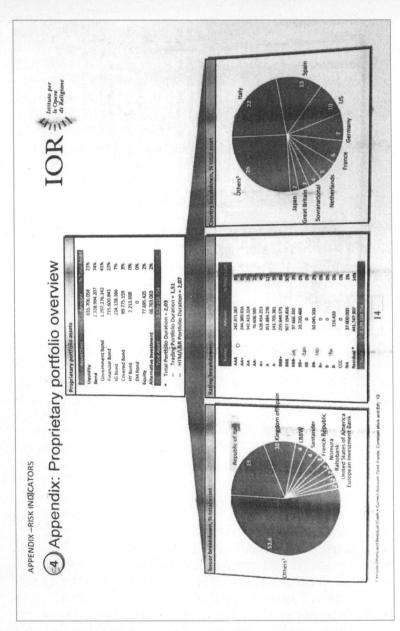

Gli investimenti dello Ior in titoli e obbligazioni, marzo 2015.

Santos Abril y Castelló non ha scucito un soldo bucato, nonostante un saldo in attivo di 425 mila euro. Il Fondo per opere missionarie ha in pancia 139 mila euro, somma costituita soprattutto da donazioni interne, ma negli ultimi due anni ha "elargito per opere missionarie" solo 17 mila euro. Anche il fondo nato per finanziare le "Sante Messe", seppur più cospicuo (ha un saldo arrivato a 2,7 milioni di euro) ha preferito tenere i denari in saccoccia: nel 2014 sono stati girati ai sacerdoti di tutto il mondo la minuscola cifra di 35 mila euro. "Non si può abolire lo Ior: gran parte della Chiesa del mondo è povera, ha bisogno di finanziamenti per costruire scuole, ospedali, centri di assistenza, seminari," ha chiarito uno dei più stretti collaboratori del pontefice, l'uruguaiano Guzmán Carriquiry Lecour, primo laico a capo di un dicastero, in quanto segretario delegato alla guida della Pontificia commissione per l'America Latina.

È necessario un altro inciso sul tema della beneficenza. Se la Santa Sede non gestisce direttamente i finanziamenti che arrivano alla Chiesa italiana dall'8 per mille (i soldi che gli italiani danno ogni anno attraverso la dichiarazione dei redditi vengono gestiti dalla Conferenza episcopale italiana a dall'Istituto centrale per il sostentamento del clero) i dati pubblicati da un rapporto della Corte dei Conti del 2014 sono indicativi del trend di spesa. Perché mostrano attraverso altri numeri e poste contabili il rapporto proporzionale tra quanto la Chiesa investa per autosostenersi e quanto per opere di carità. Nel 2014 grazie alla legge sull'8 per mille la Cei ha ottenuto l'80,2 per cento dell'intero importo erogato dai contribuenti che scelgono di destinare una quota delle loro tasse allo Stato o alle confessioni religiose. L'incasso è stato di 995 milioni, poco meno del miliardo e 54 milioni di euro dell'anno precedente. Un tesoro immane, ottenuto da un sistema che secondo i magistrati contabili "ha contribuito a un rafforzamento economico senza precedenti della Chiesa italiana, senza che lo Stato abbia provveduto ad attivare le procedure di revisione di un sistema che diviene sempre più gravoso per l'erario".

Al netto dei giudizi della Corte dei Conti (che evidenziano pure come i vari esecutivi italiani riconfermino nella Commissione paritetica Italia-Cei istituita nel 1992 sempre gli stessi due componenti governativi) lo studio rivela un'assenza assoluta di "verifiche sull'utilizzo dei fondi" e che solo il 23 per cento delle somme che gli italiani donano alla Chiesa viene speso per fare beneficenza e a favore dei più poveri e bisognosi. Nonostante le pubblicità in tv (solo sulla Rai la Cei tra il 2004 e il 2013 ha comprato spot per un totale di 40 milioni) battano sullo storytelling della carità, la stragrande maggioranza dei denari viene usata per pagare lo stipendio dei sacerdoti italiani, per investimenti inerenti l'edilizia di conventi, basiliche e cappelle e per il sostegno economico alle diocesi tricolori. In un altro rendiconto contabile redatto dalla Cei e riferito all'anno 2015, in effetti, c'è la prova del nove: addizionando solo i dati relativi alle voci annuali sulla "promozione della catechesi" in Italia (oltre 32 milioni, erano addirittura 50 nel 2013) e sulle attività dei tribunali ecclesiastici per le cause matrimoniali (altri 13 milioni) e le "esigenze di rilievo nazionale" inerenti esigenze di culto (ben 42 milioni), il risultato pareggia l'intera somma destinata dalla Chiesa ai paesi del Terzo Mondo. Non deve sorprendere che la Commissione paritetica abbia recentemente evidenziato, forse obtorto collo, la "non sufficiente quantità di interventi caritativi". Dal 1990 al 2015 la Chiesa cattolica ha ricevuto attraverso l'8 per mille 19,3 miliardi di euro di finanziamenti.

I conti segreti

Torniamo allo Ior. L'istituto e i media vaticani, insieme a quelli di testate di mezzo mondo insistono a esaltare il nuovo corso della banca. Improntato, giurano, a una trasparenza assoluta dei conti dei clienti. Fino all'altroieri cifrati e segreti, inaccessibili alle autorità giudiziarie italiane e a chi voleva ficcare il naso nei depositi di coloro che celavano nel torrione Niccolò V i propri averi.

Dal 2010 lo Ior, prima con il presidente Ettore Gotti Tedeschi, poi con il successore Ernst von Freyberg, in seguito a scandali a catena ha tentato davvero di cambiare verso, per mettersi a posto con gli standard internazionali ed entrare nella "white list" dei paesi virtuosi, quelli dove i controlli antiriciclaggio e anti-evasione fiscale sono rigidi e severi. Da sempre considerato offshore al pari delle Isole Vergini statunitensi o di Andorra, quell'anno lo Ior ha chiesto l'intervento degli ispettori di Moneyval, l'organismo creato dal Consiglio d'Europa nel 1997 per vigilare sulle misure di prevenzione del riciclaggio e del finanziamento al terrorismo; la commissione che, in pratica, ha il compito di valutare la conformità di ciascun paese terzo con le regole europee, dando valutazioni e consigli alle varie autorità nazionali su come migliorare i propri sistemi di controllo.

Il rapporto Moneyval del 2012 ammette che il Vaticano ha fatto "notevoli progressi" nell'adozione di misure normative per combattere il riciclaggio, ma che la nuova struttura "deve essere ancora provata all'atto pratico". I vertici della banca vaticana e dell'Aif, la nuova Autorità di informazione finanziaria creata nel 2010 per vigilare sull'istituto e presieduta da novembre 2014 dallo svizzero René Brülhart, periodicamente annunciano di aver fatto piazza pulita dei conti anonimi e di coloro che non hanno diritto ad averli, cioè i "laici" e gli utenti business che non risiedono nella Santa Sede. Dall'inizio della pulizia sono stati "chiusi 4614 rapporti," spiega il bilancio Ior pubblicato nel 2015, di cui la stragrande maggioranza "dormienti" (inattivi o con saldi molto bassi) o "chiusure fisiologiche". Ben 554 dei conti chiusi sono appartenenti invece ad "abusivi": presumibilmente professionisti, imprenditori, politici, faccendieri che hanno usato la banca vaticana per i loro affari, o per depositare all'estero somme guadagnate in Italia. Ora, a parte le dichiarazioni vaticane e la rivoluzione normativa effettuata, non tutti a Roma sono convinti che dal punto di vista "operativo" sia cambiato davvero molto rispetto ai tempi di Benedetto XVI. Nelle procure italiane, Roma in primis, e in Banca d'Italia si chiedono da qualche tempo se i conti attenzionati siano stati finalmente chiusi, o solo bloccati e lasciati dormienti, al sicuro, nelle casseforti d'Oltretevere.

Di certo nessuno sa dove siano finiti i soldi dei vecchi clienti fuoriusciti dal Vaticano. La filosofia dei manager del papa sembra infatti improntata alla tarantella napoletana "chi ha avuto ha avuto ha avuto, chi ha dato ha dato ha dato": se l'obiettivo finale è quello di un nuovo inizio immacolato, il passato oscuro deve rimanere tale, e venire rapidamente dimenticato. È un fatto che i clienti più "pesanti" e diplomaticamente imbarazzanti abbiano capito che la musica stava cambiando già nel 2008, quando hanno cominciato a uscire dalle mura leonine per trovare rifugio altrove. Le nostre autorità non hanno avuto alcuna informazione sui movimenti finanziari (al tempo il Vaticano aveva mani libere potendosi muovere senza alcuna regola), ma sospettano che enormi somme di denaro siano state bonificate in paesi offshore e in alcune banche della Germania. Perché proprio a Berlino? Perché le autorità antiriciclaggio tedesche sono da sempre assai deboli rispetto a quelle di altri paesi europei: la Financial Intelligence Unit (Fiu) di Angela Merkel è infatti un dipartimento inglobato nella polizia tedesca, senza autonomia, con uomini, mezzi e capacità di analisi finanziarie imparagonabili agli uffici italiani dell'Uif (l'Unità di informazione finanziaria della Banca d'Italia) o alle Fiu francesi o spagnole.

Se dei clienti scappati prima della tempesta e dell'arrivo di papa Francesco la Uif non ha mai avuto nessuna informazione, nemmeno dei 554 clienti misteriosi scovati dalla società di revisione Promontory, gli esperti tricolori dell'antiriciclaggio sono riusciti ad avere notizie: nonostante l'accordo di collaborazione firmato nel luglio 2013 tra la Aif (al tempo guidata dal cardinale Attilio Nicora) e la stessa l'Uif, finora la promessa informale di girare all'Italia la lista di tutti i clienti sospetti nascosti allo Ior non è stata mantenuta, e Bankitalia non ha potuto analizzare – se non in pochissimi casi – eventuali trasferimenti illeciti o presunte evasioni fiscali, da segnalare poi alla magistratura italiana per possibili indagini penali. Un fuggi fuggi generale che ormai rischia ormai di rimanere impunito.

Mentre andiamo in stampa allo Ior galleggiano poco più di cento conti sospetti, tra cui una decina intestati a nomi eccellenti che potrebbero creare più di un disagio a Santa Romana Chiesa. In qualche caso si tratta di eredità di clienti laici ancora da liquidare (a bilancio la somma è messa a 17 milioni), ma altri depositi appartengono a professionisti e imprenditori. "Questi depositi sono stati bloccati," ha giurato il capo dell'Aif Brülhart. All'Uif, però, sono rimasti di sasso quando hanno scoperto – dopo la lettura di un articolo giornalistico dell'agosto 2015 – che tra i clienti dello Ior ci sono ancora i nipoti del fu commendatore Lorenzo Leone. Un manager della Sanità che ha accumulato 16 miliardi di lire nella banca del torrione mentre dirigeva (o "depredava", come hanno scritto i magistrati di Trani in una recente inchiesta sull'ospedale) la Casa della Divina Provvidenza di Bisceglie, un manicomio di una congregazione religiosa di cui Leone fu dominus quasi fino alla sua morte avvenuta nel 1998.

Nessuno, dal Vaticano, aveva avvertito le autorità italiane dell'esistenza di quel denaro. Solo quando i pm di Trani hanno spedito una rogatoria internazionale l'istituto ha confermato l'esistenza del deposito segreto. Prima di leggere la notizia sui giornali la nostra Uif non ne sapeva assolutamente nulla. Nonostante, almeno in teoria, l'Aif avrebbe dovuto girare ai colleghi dell'antiriciclaggio le informazioni del conto del commendatore mesi e mesi prima. Ma non è tutto. Bankitalia non solo ha capito che gli 8 milioni intestati agli eredi erano ancora Oltretevere, ma ha anche scoperto che quei conti non erano affatto congelati, ma periodicamente movimentati. Questo caso ha dimostrato a Bankitalia che il sistema dell'antiriciclaggio vaticano non funziona ancora a dovere.

Che le cose siano molto diverse da come appaiono sembra provarlo anche un'altra vicenda. Mentre scriviamo la procura di Roma ha spedito oltre le mura un'altra rogatoria internazionale, chiedendo conto e ragione di eventuali beni posseduti da Angelo Proietti. Un costruttore titolare della società Edil Ars, diventato celebre perché la sua ditta ha ristrutturato gratis la casa in cui ha abitato per anni l'ex ministro dell'Economia Giulio Tremonti; un appartamento preso in affitto dal braccio destro del ministro, Marco Milanese, da una congregazione religiosa, il Pio Sodalizio dei Piceni. Ebbene, Proietti è uno dei fornitori storici del Vaticano e della curia romana per cui ha eseguito decine di lavori e interventi, e i pm – che da mesi sono alla ricerca del suo patrimonio – sono certi che parte dei suoi guadagni siano nascosti ancora oggi all'Istituto per le opere di religione. Anche questa vicenda, se le ipotesi investigative dei magistrati italiani si rivelassero corrette, dimostrerebbe che la Santa Sede scambia informazioni con procure e autorità antiriciclaggio di Roma solo col contagocce. Nonostante quello che sta scritto nel memorandum tra Italia e Vaticano: "Il protocollo impegna le due autorità, Aif e Uif, a scambiare ampie e complete informazioni per lo svolgimento dei rispettivi compiti di analisi finanziaria di operazioni sospette. A tal fine, ciascuna autorità fornirà le notizie disponibili o acquisibili attraverso l'esercizio dei propri poteri," spiegava una nota ufficiale della Banca d'Italia dopo la firma dello storico accordo. Finora, però, il banco di prova non sembra essere stato superato.

L'ufficio stampa dello Ior, a nostra domanda sul

perché Proietti e altri laici abbiano ancora un conto in banca, replica che, per conformarsi alla legislazione antiriciclaggio vaticana, "lo Ior non si può limitare a chiudere un conto. Se così fosse si consentirebbe agli utenti una sorta di 'condono'. I conti sono sottoposti a blocco preventivo. Quindi lo Ior deve procedere all'adeguata verifica, sia dell'origine dei fondi, sia della movimentazione. Nel frattempo i conti sono sottoposti a monitoraggio rafforzato. Sono quindi possibili due scenari: in caso di assenza di profili di anomalia, cessata l'adeguata verifica, e ricomposto tutto il patrimonio informativo, l'Aif può autorizzare la chiusura del conto con un bonifico in un Paese dotato di un regime antiriciclaggio effettivo, e, nel caso di cittadini italiani, solo verso istituti di credito italiani; oppure nel caso vi siano profili di anomalia, il conto è segnalato preventivamente alla Fiu del Paese di cittadinanza". Lo Ior non conferma e non smentisce l'esistenza del conto di Proietti. "Non è possibile parlare di casi concreti, si violerebbero il segreto di ufficio e il segreto istruttorio, ma se Proietti aveva un conto presso lo Ior, e questo conto è 'non conforme' alla legislazione antiriciclaggio vaticana e alle nuove politiche Ior, ciò che si può affermare è che esso è stato sottoposto alla procedura spiegata.

"Il fatto che l'autorità giudiziaria di un Paese estero chieda la collaborazione della Santa Sede non significa che il conto sia ancora aperto o attivo, oppure che nel frattempo non stia già indagando l'autorità giudiziaria vaticana."

La volontà del papa di rivoluzionare le abitudini della banca non è messa in discussione nemmeno dagli investigatori italiani più scettici, ma che in Vaticano esistano anche forti sacche di resistenza contrarie al mantra della trasparenza assoluta è – inchieste alla mano – innegabile. Se il futuro della banca deve essere incorrotto, il passato pesa ancora come un macigno, e pulire le macchie e le incrostazioni per farle definitivamente scomparire non è operazione semplice, soprattutto quando non si vuole tradire la fiducia dei vecchi clienti, chiunque essi siano. La strada della redenzione rischia di essere ancora lunga, nonostante gli annunci ripetuti dai cardinali "sulla lotta senza quartiere a ogni opacità". A oggi per la Banca d'Italia lo Ior resta ancora "una banca extracomunitaria che opera in un ordinamento che non è incluso nella lista dei paesi extracomunitari con regime antiriciclaggio equivalente".

I giochetti di Caloia

"La prima prova della carità nel prete, e soprattutto nel vescovo, è la povertà," ragionava Victor Hugo ne *I miserabili*, anno domini 1862. Chissà che avrebbe detto lo scrittore francese che scudisciava il clero ricco e avido se avesse assistito alle guerre per il controllo del tesoro vaticano, e avesse potuto ammirare quello conservato nei caveau della banca fondata nel 1942 da papa Pio XII. Una fortuna che ha causato alla Santa Sede scandali e dolore, guastando le anime di chi, sacerdoti, laici e uomini di Chiesa, se ne è lasciato abbagliare.

Dopo le operazioni predatorie di Paul Marcinkus, presidente dell'istituto dal 1971 al 1989, per rimettere le cose a posto Giovanni Paolo II chiamò Angelo Caloia, numero uno per un intero ventennio. Il libro *Vaticano Spa* di Gianluigi Nuzzi ha raccontato con dovizia di particolari lo Ior di quell'epoca, pubblicando le carte dell'archivio di monsignor Renato Dardozzi su operazioni segrete e sulle manovre del prelato dell'istituto Donato De Bonis, nemico giurato di Caloia e inventore con Marcinkus della contabilità "parallela" dell'istituto, un sistema usato per lavare nell'acqua santa i soldi sporchi che arrivavano in Vaticano e le tangenti destinate a partiti e politici.

Quello di cui si sa ancora poco, invece, riguarda l'inchiesta che il promotore di giustizia Gian Piero Milano ha aperto a metà del 2014 proprio su Caloia, banchiere della "finanza bianca" cattolica venuto dalla Lombardia per risanare i conti e far dimenticare gli scandali del crac del Banco Ambrosiano. Da salvatore della patria e celebre moralizzatore, il finanziere che plaudiva alla decisione di Francesco di creare una commissione d'inchiesta sullo Ior ("sono convinto che se ci sarà un ritorno alle origini, evitando strade commerciali e speculative e imboccando invece i binari solidaristici, questo istituto potrà giocare un ruolo positivo nella comunità ecclesiale," diceva nel 2013) è precipitato nella polvere, denunciato per peculato dai nuovi vertici che si sono messi a indagare su presunti illeciti avvenuti sotto il comando dell'ex presidente. Caloia, insieme all'ex direttore dello Ior Lelio Scaletti e all'avvocato Gabriele Liuzzo, sarebbe infatti complice, secondo le tesi dell'accusa, di un'operazione immobiliare illecita condotta tra il 2001 e il 2008. I tre avrebbero venduto quasi l'intero patrimonio immobiliare della banca vaticana, liquidando sottocosto un tesoro di case e appartamenti del valore di 160 milioni ad alcune società ombra di alcuni paradisi fiscali. Holding straniere controllate da italiani che poi rivendevano a prezzi molto più alti gli immobili (nel complesso una trentina, quasi tutti a Roma) appena comprati dal Vaticano, ricavando così ricchissime plusvalenze. Secondo le accuse, tutte da provare, dietro alcune di queste società c'erano anche Caloia e Scaletti, che avrebbero lucrato milioni a danno della banca che dirigevano.

L'inchiesta è cominciata a metà del 2014, dopo ispezioni interne della Promontory che ha analizzato strane compravendite con società paravento domiciliate anche alle Bahamas. Ma dopo l'annuncio dell'apertura del fascicolo dagli uffici del promotore, dopo una denuncia da parte dell'allora presidente Ernst von Freyberg, non s'è saputo più nulla. Analizzando i dati del catasto italiano, però, è evidente che a partire dal 2002 lo Ior abbia venduto immobili a società offshore come la Collina Verde (intestata alla Woodhill Homes Limited di Londra, i cui soci sono schermati) e, soprattutto, alla Marine Investimenti Sud, protagonista assoluta del grande affare vaticano. Controllata da una finanziaria lussemburghese (la Longueville, a sua volta posseduta da una holding con base a Montevideo, in Uruguay), negli anni Duemila la Marine ha avuto come amministratori Erasmo Cinque e Michele Nicola D'Adamo, in passato condannato a quattro mesi per la maxitangente Enimont. Dalla Marine – nel settembre del 2004 – compra casa anche Renata Polverini, l'ex presidente della Regione Lazio: l'attuale deputato di Forza Italia aveva già acquistato due anni prima una casa gemella confinante proprio dallo Ior, nove stanze, due box e tre balconi nella zona stupenda dell'Aventino pagati solo 272 mila euro.

Non sappiamo quali siano le società sospette individuate dal Vaticano. Ma il promotore ipotizza che i tre indagati avrebbero ideato il gioco di sponda, e accumulato attraverso la triangolazione cifre stratosferiche: alla fine la truffa avrebbe permesso al gruppetto di incassare almeno 60 milioni di euro, soldi di fatto sottratti alla banca di cui lo stesso Caloia era presidente. Per ora il pm della Santa Sede ha obbligato lo Ior a congelare i conti che gli indagati avevano aperto all'istituto della Santa Sede: in tutto 17 milioni di euro, considerati solo una parte della somma lucrata sugli immobili. "Sconcertato, attonito e profondamente avvilito, sono a rassicurarvi sulla mia totale estraneità ai fatti", sono state finora le uniche parole pubbliche di Caloia, affidate a una lettera inviata al cda della Veneranda Fabbrica del Duomo di Milano, di cui l'ex eroe della finanza bianca era diventato presidente.

Tutti contro tutti

La presidenza di Caloia allo Ior è terminata molto prima dello scandalo immobiliare: è il 2009 quando Benedetto XVI – su suggerimento di Tarcisio Bertone – nomina nuovo presidente Ettore Gotti Tedeschi, banchiere considerato vicino all'Opus Dei e fondatore della filiale italiana del Banco Santander. La sua parabola si conclude dopo tre anni travagliati, il 12 maggio del 2012, in seguito al tentativo di Gotti Tedeschi di introdurre *bestpractices* per migliorare finalmente la trasparenza dello Ior. Il banchiere viene cacciato dal consiglio di sovrintendenza all'unanimità, con la giustificazione di "non avere svolto varie funzioni di primaria importanza per il suo ufficio".

Ma in realtà Gotti Tedeschi paga lo scotto del durissimo scontro con il direttore dello Ior Paolo Cipriani e il suo vice Massimo Tulli (oggi imputati per violazione delle norme antiriciclaggio dopo un'inchiesta in cui finì anche Gotti Tedeschi, la cui posizione fu però archiviata nel 2013) contrari alle sue proposte di rinnovamento. In secondo luogo, la sua defenestrazione fu dovuta al braccio di ferro con la segreteria di Stato, al tempo retta da Bertone: "Nel dicembre 2011, dopo un'ispezione di Moneyval che aveva apprezzato il cammino compiuto," ha raccontato lo stesso Gotti Tedeschi nel gennaio 2015 al giornale "Catholic Herald" spiegando i motivi del suo allontanamento, "venne realizzata con sorprendente fretta una bozza di una nuova legge che andava a modificare la legge antiriciclaggio e il ruolo dell'Aif. Il punto chiave di queste modifiche stava nel fatto che l'Aif cessava di essere un corpo indipendente per finire sotto la supervisione della segreteria di Stato, confondendo il ruolo di controllato con quello di controllore. Ciò mise in gran difficoltà il cardinale Nicora, il consiglio dell'Aif e il sottoscritto". La clausola relativa al nulla osta che obbligava l'Aif a sottostare alla segreteria di Stato e che riportava indietro anni luce la lotta al riciclaggio fu effettivamente inserita nel gennaio 2012, ma rimossa dopo nemmeno un anno per consentire la firma di accordi internazionali altrimenti impossibili.

Estromesso Gotti Tedeschi a febbraio 2013 Benedetto XVI, pochi giorni dopo aver annunciato le sue dimissioni dal soglio pietrino sconvolgendo il mondo, chiama allo Ior Ernst von Freyberg. Ricchissimo industriale tedesco e già presidente del Blohm+Voss Group, un'azienda cantieristica navale che costruisce anche corazzate da guerra. Inizialmente il suo mandato sull'istituto vaticano non è chiaro, ma la proclamazione di papa Francesco, gesuita eletto con il compito di spazzare via scandali e illuminare vicende oscure, accelera la trasformazione dello Ior verso un'istituzione trasparente. Una casa di cristallo, promettono gli uomini del nuovo corso.

Se nei mesi di interregno tra la cacciata di Gotti Tedeschi e l'arrivo di von Freyberg i falchi vicini alla linea di Bertone (restii a scambiare informazioni con autorità giudiziarie all'estero) erano riusciti a "spostare" il primo direttore dell'Aif, l'ex funzionario della Banca d'Italia Francesco De Pasquale, nel consiglio direttivo dell'Autorità di informazione finanziaria (un board senza effettivi poteri) sostituendolo con lo svizzero Brülhart (già direttore dell'organismo gemello in Lussemburgo): l'estromissione dei vecchi dirigenti diventa la mission dei fedelissimi chiamati a Roma da Bergoglio. Tra il 2013 e il 2014 gli italiani, considerati i primi responsabili degli scandali finanziari, vengono tagliati fuori da ogni tavolo, dal collegio cardinalizio dello Ior fino alla presidenza dell'Aif retta dal 2011 dal cardinal Nicora.

Dalla mattanza non si salva nessuno. Bertoniani e antibertoniani, buoni e cattivi, indagati e innocenti: se il direttore dello Ior Cipriani e il suo vice Tulli si dimettono a inizio luglio 2013, anche Nicora – primo presidente dell'autorità e promotore del memorandum con l'Uif – viene dimesso per sopraggiunti limiti di età a gennaio 2014. Sostituito dal vescovo Giorgio Corbellini per qualche mese, nel novembre 2014 la sua poltrona è stata affidata a Brülhart, promosso da direttore a numero uno dell'Aif. La partita anti-italiana si era già chiusa qualche mese prima con l'estromissione di tutti i cinque membri italiani del direttivo Aif: i giuristi, vicini a Nicora, erano entrati in aperto contrasto con Brülhart. Reo, a loro dire, di tenerli all'oscuro su "quasi tutta l'attività" dell'autorità, come sottolinearono per iscritto in una lettera mandata al nuovo segretario di Stato Pietro Parolin e pubblicata da Franca Giansoldati del "Messaggero". Missiva in cui De Pasquale e gli altri colleghi denunciano di "non aver mai potuto valutare se la gestione delle segnalazioni sospette" fosse stata condotta nel rispetto delle leggi. Ma Brülhart è inattaccabile. Soprattutto perché è nelle grazie del nuovo uomo forte del Vaticano, il cardinale australiano Pell. Chiamato da Francesco per fare pulizia nelle finanze della Santa Sede: come si vedrà per lui il papa crea apposta un nuovo dicastero, la segreteria per l'Economia, una sorta di superministero con il compito di controllo e di gestione del tesoro della Santa Sede.

Pell e i suoi consiglieri decidono di dare il benservito anche a von Freyberg, considerato non allineato nonostante fosse stato proprio lui, d'accordo con il papa, a chiamare la Promontory per fare uno screening sui conti e i clienti della banca. È a giugno del 2014 che il tedesco capisce che la sua avventura Oltretevere si chiuderà prima del previsto, quando legge un messaggio speditogli dal nuovo prelato del papa allo Ior, monsignor Battista Ricca. La missiva è piena di contestazioni: von Freyberg, si lamenta Ricca, non gli avrebbe descritto tutti i dettagli di un prestito da 15 milioni di euro che nel 2011 lo Ior concesse alla Lux Vide di Ettore Bernabei, produttore di fiction tv con grandi entrature in Vaticano. Non solo. Il tedesco non avrebbe gestito bene la coda di una vecchia operazione immobiliare a Budapest. Il Vaticano qualche anno fa ha in effetti comprato da un private equity un fondo proprietario dell'ex palazzo della Borsa, un grande immobile al centro della capitale ungherese che – secondo il progetto iniziale – doveva essere ristrutturato per realizzare miniappartamenti da vendere sul mercato.

Operazione che sarebbe stata, secondo Promontory, economicamente sballata.

Von Freyberg non capisce i reali motivi dell'attacco: le operazioni di cui il prelato si lamenta sono state ideate e realizzate antecedentemente il suo arrivo, e lui, banchiere originario di una nobile famiglia sveva, avrebbe tentato di metterci una pezza sopra. Come nel caso del fondo Ad Maiora, dentro cui lo Ior è arrivato a investire fino a 230 milioni di euro. Un'iniziativa "proposta dal direttore Cipriani," si legge in un altro documento della Cosea, "e approvata nell'aprile 2012 dal consiglio di sovrintendenza per allocare una parte del capitale nel settore della finanza etica e degli investimenti alternativi". L'operazione prevedeva la costituzione e la sottoscrizione da parte dello Ior di fondi d'investimento esteri (in Lussemburgo e a Malta) "sotto la guida di una società di consulenza nel campo dell'investimento etico, l'Ecpi di Milano". Una srl fondata da alcuni professori della Bocconi e partecipata anche da una società inglese, la Blue Capital di Londra.

Il documento degli esperti che hanno spulciato le scelte del vecchio management dello Ior prende di mira le clausole del contratto con la milanese Ecpi, che prevede impegni a investire importi rilevanti, l'impossibilità di uscire dai fondi senza un preavviso molto largo e commissioni alte. Già: in quattordici mesi la consulenza della società meneghina è costata la bellezza di 1,4 milioni di euro, in pratica 100 mila euro al mese. Mentre "per il fondo Optimum le consulenze pagate e presumibilmente da pagare ammontano a 3,5 milioni di euro... C'è un elevato rischio," conclude il documento, "di adire le vie legali per ottenere la chiusura dei fondi e di subire azioni legali da parte della Ecpi: il contratto prevede una durata illimitata e comunque non inferiore a cinque anni, ed è stato bloccato dallo Ior dopo soli quattordici mesi". Il professor Michele Calcaterra Borri, uno dei soci della Ecpi, a chi scrive ammise i rapporti con lo Ior, replicando però che "le nostre commissioni sono in linea con il mercato, e sono state esplicitate nel 2012 davanti al cda dell'istituto". Alla fine lo Ior è uscito dal fondo, perdendoci qualche decina di milioni: "Non abbiamo nulla contro il fondo Optimum, ma abbiamo assunto una politica di investimento diversa dal passato", si limitò a comunicare il portavoce dello Ior Max Hohenberg.

Von Freyberg fu sostituito poche settimane dopo la lettera di monsignor Ricca, e da allora lo Ior, il suo tesoro e le strategie finanziarie vaticane sono gestiti direttamente o indirettamente da tre persone: il cardinale Pell e due finanzieri laici, il maltese Joseph Zahra e Jean-Baptiste de Franssu, consiglieri privilegiati dell'australiano. Entrambi già membri della Cosea dal luglio del 2013 (la commissione referente per gli affari economici poi sciolta dopo aver consegnato le conclusioni del rapporto al papa), Zahra è oggi tra i sette membri laici del nuovo consiglio per l'Economia che – con otto ecclesiastici – ha il compito, insieme alla Segreteria di Pell, di indirizzare le scelte economiche vaticane. De Franssu, invece, è diventato il nuovo presidente dello Ior.

Sono loro a comandare al torrione nella nuova era di Francesco. I cardinali italiani non li amano, trovando eccessivo il potere consegnato nelle mani della lobby che gira intorno alla Misco Malta, la società di consulenza finanziaria fondata da Zahra, che del consiglio per l'Economia è vicecoordinatore. Se su Internet c'è ancora traccia di quando de Franssu era invitato a tenere conferenze alla controllata Misco Directors Network, l'unico componente italiano chiamato in Consiglio si chiama Francesco Vermiglio. Un avvocato di Messina che è stato nel cda della Banca di Malta quando Zahra ne era direttore, e che nel 2011 ha creato con l'amico finanziere la Misco Advisory Ltd, una joint venture tra lo studio Vermiglio e il gruppo maltese con cui si sperava di portare capitali italiani sull'isola considerata fino al 2010 un paradiso fiscale. A Messina, i Vermiglio sono molto conosciuti: il fratello di Francesco, Carlo, è stato vicepresidente del Consiglio nazionale forense, e il suo nome è finito spesso sui giornali locali per presunti rapporti con la massoneria. "Verissimo. Io mi onoro di essere stato iscritto alla loggia La Ragione fino al 1988, poi mi sono messo in sonno, come si dice in gergo massonico, e non l'ho mai più frequentata. Mio fratello? Non è mai stato iscritto," spiegò a chi vi scrive nel 2014 durante un'intervista.

De Franssu è anche amministratore delegato della società Incipit, e manager della Tages Capital Group del finanziere italiano Panfilo Tarantelli. Mentre il figlio di de Franssu, Luis-Victor, dal marzo 2014 è stato assunto proprio dalla statunitense Promontory, che ormai del Vaticano e dello Ior conosce ogni segreto. L'enorme potere acquisito dagli americani Oltretevere per molti è ormai un paradosso. Perché, mentre papa Francesco bastona implacabile i poteri oscuri della finanza mondiale nei discorsi e nelle encicliche (come la *Laudato si'*), in Vaticano la società di consulenza a stelle e strisce fa il bello e il cattivo tempo da due anni. Considerata vicinissima al governo di Washington, città dove ha sede, Promontory non solo è l'unica che ha avuto davvero accesso a tutti i conti e a tutti i clienti, ma ha o ha avuto rapporti professionali con tutti i nuovi dirigenti dello Ior: come Rolando Marranci, attuale direttore generale con un passato in Bnl e per breve tempo consulente di Promontory, e il nuovo capo dell'ufficio rischio Antonio Montaresi, anche lui passato da Promontory a Oltretevere. Von Freyberg ha nominato senior adviser della banca anche Elizabeth McCaul e Raffaele Cosimo, rispettivamente partner dell'ufficio Promontory di New York e capo dell'ufficio europeo della società sotto il cupolone. Non tutti sono felici della presenza degli statunitensi, però. Non solo perché i cardinali temono che dati sensibili sui conti e i clienti finiscano in mano a soggetti stranieri, ma anche perché Promontory, paladina della trasparenza pagata dalle banche di tutto il mondo per scovare le operazioni opache celate nelle loro pance, ad agosto del 2015 è stata travolta da uno scandalo gigantesco. Che ne mina il mito di soggetto privato ma capace di fornire giudizi indipendenti.

Il Dipartimento per i servizi finanziari di New York ha infatti sospeso il 5 agosto 2015 le attività dell'azienda nell'omonimo Stato, perché accusata di aver "coperto" attività illecite effettuate da un suo cliente con lo scopo di proteggerlo da eventuali sanzioni economiche. Proprio così: leggendo il rapporto del New York State Department of Financial Services, si scopre che quando era consulente della banca inglese Standard Chartered il gruppo che deve fare trasparenza in Vaticano avrebbe volutamente eliminato da alcuni report la notizia di certe transazioni finanziarie che la filiale newyorkese Standard Chartered aveva fatto verso l'Iran.

Operazioni illegali, visto che al tempo Teheran era sotto embargo internazionale. "Ci sono numerosi esempi che dimostrano come Promontory, sotto la direzione della banca o su suo consiglio, o di sua stessa iniziativa, effettua cambiamenti per 'ammorbidire' e 'attenuare' il linguaggio usato nei rapporti, evitare domande supplementari dai controllori, omettere termini allarmanti o altri interventi per rendere i report più favorevoli alla banca", scrivono gli investigatori dell'Nysd, che accusano la Promontory "di aver rimosso informazioni", di aver usato invece di termini tecnici tipo "potenziali violazioni" frasi "più ambigue e innocue" e di aver alla fine "deliberatamente rimosso le transazioni" con l'Iran "dal rapporto". Inizialmente il gruppo si è difeso annunciando ricorso, ma alla fine ha deciso di levarsi dagli impicci processuali pagando una multa da 15 milioni di euro. Nulla rispetto a quanto pagato dalla banca nel 2012, che per non aver rispettato le sanzioni economiche operando 59 mila transizioni con clienti iraniani per un giro d'affari di 250 miliardi di dollari, ha accettato di pagare alla giustizia americana 340 milioni di dollari. Se la Promontory ha chiuso la faccenda in tempi record, la storia dimostra che i dubbi sui potenziali conflitti d'interesse dei consulenti bancari assunti e pagati dalle banche per indagare sulle stesse sono molto lontani dall'essere sciolti.

Cardinale contro cardinale

Dopo gli scandali finanziari e le inchieste giudiziarie a catena, il papa sperava che George Pell, l'uomo che lui stesso ha soprannominato "il Ranger", mettesse finalmente pace tra le porpore e facesse trasparenza su conti ed enti. Finora, al di là della propaganda bergogliana, non è andata come sperava Francesco. Basta leggere la minuta del verbale del 12 settembre 2014 della Commissione cardinalizia dell'Apsa per capire che le mosse di Pell e dei suoi uomini hanno spaccato la curia, in un "tutti contro tutti" molto simile alla guerra per bande che ha caratterizzato l'epoca di Ratzinger e Bertone.

Lo zar della Segreteria ha molti fan, ma la sua gestione e alcune inchieste australiane di cui si parlerà nei capitoli successivi hanno minato la sua credibilità. Così oggi è inviso non solo alle vecchie volpi che temono di perdere quel che resta della loro influenza (come i reduci di Bertone e gli "epurati" come Mauro Piacenza, Raymond Leo Burke e Giuseppe Sciacca), ma è detestato anche da alcuni emergenti che a Bergoglio sono vicinissimi. "C'è uno che fa tutto e gli altri no," dice secondo la minuta il neocamerlengo Jean-Louis Tauran, discutendo con i monsignori Pietro Parolin, Domenico Calcagno, Giovanni Battista Re, Giuseppe Versaldi, Attilio Nicora e altri membri dell'Apsa. "Siamo in una fase di sovietizzazione, è molto preoccupante." "A mio parere è pericoloso che la Segreteria prenda in mano tutto," concorda Re: "Così l'Apsa non ha più senso".

Tauran e gli altri "congiurati", quel 12 settembre,

sono davvero furiosi. Pell da settimane sta forzando la mano per trasferire alla sua Segreteria tutti i poteri dell'organismo. Francesco aveva già deciso, nel luglio 2014, di girare al dicastero del "Ranger" la sezione ordinaria dell'Apsa (quella che si occupa della gestione degli immobili), ma Pell voleva di più; così, il 5 settembre 2014 ha "ordinato" via email al cardinale Calcagno, presidente dell'istituto, "di procedere senza alcun ritardo" alla "transizione delle attività della sezione straordinaria a quelle di una tesoreria", intimando al capo dell'Apsa "di astenersi dal prendere altre iniziative".

Il monsignore, riletta la email, decide però di contrattaccare. Ottiene udienza dal papa, per capire se il blitz dell'australiano fosse concordato con lui. Francesco dice di cadere dalle nuvole, e decide di firmare un "rescritto" che blocca il trasloco delle proprietà di migliaia di appartamenti e case sotto la Segreteria. I cardinali si dicono soddisfatti, ma restano preoccupati: nella bozza del verbale il segretario di Stato Parolin afferma che "gli statuti che si stanno elaborando vanno nel senso di un trasferimento anche della proprietà". Pell non si è ancora arreso. "Sono stupito che il cardinale Pell tratti di questi argomenti tramite email," interviene stizzito Nicora: "Ci si aspetterebbe che il prefetto di un organismo di tale livello si serva di carta intestata con protocollo e una firma scritta in modo che resti agli atti!".

L'ambizione del cardinale australiano di mettere le mani sulla gestione dell'intero tesoro del Vaticano, dallo Ior attraverso i suoi uomini all'Apsa, passando per i fondi fuori bilancio della segreteria di Stato, ha subìto uno stop decisivo a febbraio 2015, quando Francesco con un motu proprio ha stabilito poteri e contropoteri della nuova curia, pubblicando gli Statuti dei nuovi uffici da lui voluti: la segreteria per l'Economia ha sì inglobato la prefettura degli Affari economici di cui eredita, rafforzati, i poteri di controllo e vigilanza sui dicasteri vaticani, ma lo zar venuto da

Melbourne non è riuscito a impossessarsi, come invece sperava, dei beni immobiliari dell'Apsa e di Propaganda Fide, e nemmeno del Fondo pensioni dei dipendenti e dei cardinali (che, secondo i documenti riservati di Kpmg, è arrivato nel 2014 a superare i 433 milioni) che continua a essere in carico alla segreteria di Stato guidata da Parolin.

La lotta, però, non è terminata nemmeno dopo la decisione definitiva del papa. Pell, Zahra e de Franssu hanno infatti prima lavorato alla creazione di un grande Vam, un unico asset management del Vaticano per gestire in modo centralizzato le risorse sparpagliate tra ministeri, enti e organismi vari. Poi, congelata l'iniziativa, de Franssu ha rilanciato proponendo la creazione di una Sicav (una società d'investimento a capitale variabile) con cui gestire più liberamente i miliardi dello Ior. Peccato che il progetto, approvato dal consiglio di sovrintendenza dei laici della banca, sia stato bloccato subito dai cardinali e dal papa in persona. De Franssu aveva infatti deciso di istituire il fondo in Lussemburgo. Un paese a fiscalità di vantaggio. "Tante volte io penso che la Chiesa in alcuni posti, più che madre è una imprenditrice," disse Francesco il 19 dicembre 2014 a Casa Santa Marta, la sua residenza. Mai immaginava quanto fosse a lui vicino, uno di quei posti.

VERBALE
dell'ADUNANZA del 12 SETTEMBRE 2014

Il giorno 12 settembre 2014, alle ore 16.00, nel Salone della ex Sezione Straordinaria dell'Amministrazione del Patrimonio della Sede Apostolica, si è riunita la Commissione Cardinalizia preposta alla medesima Amministrazione, presieduta da Sua Em.za il Card. DOMENICO CALCAGNO, presenti gli Eminentissimi Padri:

- Sua Em.za Card. GIOVANNI BATTISTA RE
- Sua Em.za Card. JEAN LOUIS TAURAN
- Sua Em.za Card. AGOSTINO VALLINI
- Sua Em.za Card. ATTILIO NICORA
- Sua Em.za Card. VELASIO DE PAOLIS
- Sua Em.za Card. JAMES MICHAEL HARVEY

Partecipano alla riunione anche l'Em.mo Card. PIETRO PAROLIN, Segretario di Stato di Sua Santità, l'Em.mo Card. GIUSEPPE VERSALDI, Presidente della Prefettura degli Affari Economici e Delegato Pontificio per la questione dell'I.D.I., il Rev.mo Mons. LUIGI MISTO', Segretario dell'Amministrazione del Patrimonio della Sede Apostolica e il Prof. FRANCO DALLA SEGA, consulente speciale *ad interim* per la Sezione Straordinaria.

Sono assenti giustificati l'Em.mo Card. JUSTIN F. RIGALI, a motivo del breve tempo di convocazione della riunione e l'Em.mo Card. GIOVANNI LAJOLO, fuori sede per un impegno precedentemente assunto.

Assiste sr. Simona Pozzi, incaricata per la redazione del Verbale.

***** *

Dopo la preghiera di rito, introducendo la riunione, l'Em.mo **Card. Calcagno** dice di ritenere opportuno invertire l'ordine del giorno per dare subito alcune comunicazioni agli Em.mi Porporati, utili anche ai fini dell'argomento che verrà discusso nella riunione.

La minuta del verbale del collegio cardinalizio dell'Apsa del settembre 2014, prima parte.

1° punto dell'O.d.G. – COMUNICAZIONI DEL CARD. PRESIDENTE ALLA COMMISSIONE CARDINALIZIA DELL'APSA

L'Em.mo Card. Calcagno comunica che mentre preparava la documentazione, a seguito della convocazione presso lo I.O.R., per l'operazione di cui al successivo punto all'O.d.g., in data 5 settembre 2014 ha ricevuto, via e-mail, dal Card. Pell una lettera con la quale gli confermava la necessità di procedere "senza alcun ritardo" alla "transizione delle attività della Sezione Straordinaria dell'A.P.S.A. a quelle di una tesoreria/banca centrale" e informava di voler costituire al proposito un gruppo di lavoro, chiedendo di astenersi dal prendere altre iniziative di implementazione.

Ravvisando nel tenore della comunicazione una prospettiva che andava nella direzione di ridurre ulteriormente il ruolo e le funzioni dell'A.P.S.A., oltre quanto disposto dal Santo Padre con il *Motu Proprio* dello scorso 8 luglio, (con cui si sanciva il passaggio della ex sezione ordinaria alla Segreteria per l'Economia e il conseguente aggiustamento degli articoli della Cost. Ap, *Pastor Bonus* che riguardano l'A.P.S.A. residua – ex straord.), ha chiesto al Santo Padre di essere ricevuto in udienza per avere un'indicazione autorevole al riguardo.

Nel corso dell'udienza di lunedì 8 settembre il Card. Calcagno ha chiesto al Santo Padre se il *Motu Proprio* dello scorso 8 luglio doveva essere considerato come un punto fermo da attuare nella prassi operativa o se si trattava di un disposto già superato nei fatti e nella prospettata riorganizzazione dell'A.P.S.A., facendogli presente quanto comunicatogli dal Card. Pell.

Il Santo Padre ha confermato che rimane valido quando da Lui disposto con il *Motu Proprio* dello scorso 8 luglio, e cioè il trasferimento della sezione ordinaria dell'A.P.S.A. con le connesse competenze della stessa, che riguardano la diretta gestione dei beni immobili. Quindi è stata trasferita alla SPE l'amministrazione dei beni immobili, **nell'ambito delle competenze della ex sezione ordinaria**, rimanendo invariata la titolarità degli stessi che resta esercitata dal Legale rappresentante dell'Ente proprietario (A.P.S.A.). Il giorno successivo il Santo Padre ha siglato il *Rescriptum ex audientia*, che viene distribuito in copia agli Em.mi Porporati, apportando di suo pugno una variazione al testo.

L'A.P.S.A. attuale risulta quindi costituita dalla ex sezione straordinaria, e cioè:

- Ufficio Analisi e negoziazione titoli
- Ufficio Gestione investimenti
- Ufficio Riscossioni e Pagamenti
- Ufficio Contabilità analitica
- Servizio di Archivio e Protocollo

66

- Segreteria della Presidenza

Avendo il Cardinale Presidente la legale rappresentanza dell'A.P.S.A., conferita con Chirografo del 13 aprile 2013, e rimanendo all'A.P.S.A. il compito di amministrare i beni della Santa Sede, è in capo a questo Ufficio anche la titolarità (proprietà) dei beni che esso detiene per conto della Santa Sede. In conseguenza di ciò il S. Padre ha autorizzato il Card. Calcagno a realizzare quanto necessario affinché l'A.P.S.A. possa funzionare secondo quanto disposto.

Avendone data informazione a questa Commissione Cardinalizia preposta all'A.P.S.A. e confortato dalla Loro approvazione, trasmetterà al Card. Pell il testo del Rescritto accompagnandolo con la lettera che è stata distribuita in copia agli Eminentissimi.

Il Card. Presidente comunica essere sua intenzione, previo parere favorevole della Commissione Cardinalizia, procedere quindi a consolidare l'A.P.S.A., affinché possa svolgere i propri compiti istituzionali, tenendo conto che, al momento, non sono autorizzate nuove assunzioni.

- In primo luogo è necessario che il Dicastero abbia a disposizione un adeguato servizio di Archivio e Protocollo: a tale proposito ha manifestato la propria disponibilità Sr. Simona Pozzi che, rimanendo all'A.P.S.A. e trasferendosi alla ex sez. straordinaria, potrà affiancare con la sua esperienza la risorsa già dedicata a questo scopo.

- In secondo luogo è opportuno potenziare la Segreteria del Presidente per l'esercizio del ruolo di proprietà dei beni che l'A.P.S.A. mantiene per conto della Santa Sede, con particolare attenzione a tre profili: 1) coordinamento generale sul tema e raccordo diretto con il Cardinale Presidente; 2) profili legali; 3) profili notarili. Essendo contenuto nella figura del Cardinale Presidente il ruolo della rappresentanza legale dei beni, comunica essere sua intenzione assegnare il coordinamento di questa unità al suo segretario, Mons. Cristiano Falchetto, chiedendo invece al Procuratore dell'A.P.S.A. (avv. Carmine Stingone) e al nostro notaio di fiducia (dr. Paride Marini Elisei) di collaborare rispettivamente per gli aspetti legali e quelli notarili.

- In terzo luogo ritiene urgente riprendere i contatti con i consulenti che hanno accompagnato l'implementazione del nuovo sistema operativo al fine di sanare alcune anomalie apparse durante questo primo anno e completare alcune funzioni residuali dello stesso sistema

L'Em.mo Card. Vallini, in qualità di membro del Consiglio dell'Economia riferisce di non aver mai capito che l'A.P.S.A. fosse intesa come una sorta di prestanome, ma che la sezione straordinaria resta perché è una sorta di banca centrale; in questo senso è proprietaria dei beni. Puntualizza che quanto indicato nel testo della e-mail inviata al Card. Calcagno non è stato comunicato dal Card. Pell. L'Em.mo Card. Parolin precisa che il Motu Proprio parlava solo del trasferimento della Sezione Ordinaria dell'A.P.S.A. mentre gli Statuti che si stanno elaborando vanno nel senso di un trasferimento anche delle proprietà. Alla domanda dell'Em.mo Card. Harvey se il Santo Padre è al corrente di questa discrepanza l'Em.mo Card. Calcagno assicura di aver posto la questione al Santo Padre. L'Em.mo Card. Parolin evidenzia che, a seguito del Rescritto del Santo Padre, la questione è chiara e definita e quindi gli estensori degli statuti della Segreteria vi si dovranno uniformare. L'Em.mo Card. Re dice di condividere il contenuto della lettera indirizzata al Card. Pell. Ritiene che la Segreteria per l'Economia svolga un'azione di vigilanza, ma a suo parere è pericoloso in questo momento che essa prenda in mano tutto così che l'A.P.S.A. non abbia più senso. Se in futuro, quando ci sarà la vera riforma della Curia, si vorrà precisare meglio, si potrà, ma per il momento è giusto che l'A.P.S.A. rimanga nelle sue funzioni e nella sua autorevolezza e autorità. Evidenzia il fatto che la Segreteria per l'Economia non conosce tutte le tradizioni e l'attività della Curia in profondità, quindi svuotare adesso l'A.P.S.A. sarebbe rendere un danno all'amministrazione della Santa Sede. Si dice pienamente favorevole che si proceda nel senso indicato dal Card. Presidente ed è contento che il Santo Padre abbia approvato. Anche l'Em.mo Card. Tauran si dice d'accordo con quanto testè espresso perché ritiene molto preoccupante il fatto che si sia in una fase di 'sovietizzazione'; "c'è uno che fa tutto e gli altri no". L'Em.mo Card. Harvey concorda con gli interventi espressi precedentemente. L'Em.mo Card. Vallini dice di aver espresso quanto gli pareva d'aver capito; puntualizza il fatto che gli Statuti dovranno essere approvati dal Santo Padre che si servirà dei suoi più stretti collaboratori. Ritiene troppo poco che all'A.P.S.A. venga riconosciuta solo la funzione di tesoreria e non più la titolarità dei beni. Si dice sinceramente perplesso di fronte all'ipotesi di una concentrazione di tutto. L'Em.mo Card. Nicora, esprimendo la sua riserva dal punto di vista formale, si dice stupito che il Card. Pell tratti di questi argomenti tramite la e-mail. Si aspetterebbe che il Prefetto di un organismo di tale livello si serva di carta intestata con protocollo e una firma scritta in modo che resti agli atti. Sarebbe opportuno gli venga fatto presente così che possa regolarsi per il futuro. Si dice altresì pienamente d'accordo con quanto il Santo Padre ha stabilito, ritenendo questo un momento assai felice dopo fasi di incertezza e di minor chiarezza. Ritiene essere un dono per tutti il fatto che ora il Papa prenda la parola, la metta per iscritto e la ponga come riferimento autorevole. L'Em.mo Card. Calcagno comunica inoltre di aver detto al Santo Padre che, essendo l'argomento all'ordine del giorno collegato con quest'ultimo, avrebbe informato e sentito il parere della Commissione Cardinalizia preposta all' A.P.S.A. prima di scrivere al Card. Pell. Gli Em.mi Porporati ribadiscono all'unanimità il loro assenso circa il contenuto della lettera.

3.

Sacri affari

O esecranda fame dell'oro, cosa non
costringi il cuore dei mortali a compiere?

C'è un altro documento della defunta prefettura
degli Affari economici, sorta di Corte dei Conti d'Oltretevere che fino al 2015 – prima di essere sostituita
dalla nuova segreteria per l'Economia – ha controllato
la gestione finanziaria del Vaticano, che fotografa le
altre ricchezze controllate direttamente dalla Santa
Sede. Si chiama *Administrationes quae a Sancta Sede
Pendent*, un documento del 2013 che fotografa tutte le
entrate e le uscite degli uffici del governatorato, della
curia romana, delle fondazioni religiose e dei fondi
ecclesiastici. Duecentoquattro pagine che disegnano
una holding che spazia dal business del turismo alla
numismatica, dai negozi dentro le mura alla farmacia, dal commercio della benzina all'annona. Tutto
questo ogni anno fa incassare centinaia di milioni di
euro, gestiti ancora oggi da vescovi e monsignori protagonisti in passato di polemiche e scandali.
    Partiamo dai Musei Vaticani. Leggendo le cifre dei
bilanci della direzione musei, negli ultimi anni i ricavi
sono passati dai 66 milioni del 2011 agli oltre 90 attuali, con un utile netto di 58 milioni: se i turisti arrivano
a frotte (oltre cinque milioni nel 2014, ormai le sale
d'Oltretevere con i capolavori collezionati nei secoli
dai papi sono entrate tra i primi dieci musei più visita-
ti del mondo) le spese di gestione sono rimaste identi-

che. Una nota della Cosea spiega, poi, che i biglietti d'ingresso valgono l'84 per cento degli incassi, ma parecchi milioncini il governatorato li guadagna anche con il catering, i bar, con i souvenir – tipo la *Pietà* di Michelangelo in miniatura – il bookshop e il servizio guide.

Monsignor Paolo Nicolini, capo del settore amministrativo-gestionale, è il gran visir del business museale. Sconosciuto ai più, ma temuto e omaggiato all'interno delle sacre mura, è uno dei prelati più potenti della curia di Francesco, che l'ha lasciato al comando nonostante fosse stato obiettivo principale degli strali di monsignor Carlo Maria Viganò, l'ex segretario di Stato del governatorato che ha – attraverso le sue lettere al papa pubblicate da tv e giornali – dato il via allo scandalo Vatileaks, rivelatore delle lotte di potere all'interno della Santa Sede.

In una missiva dell'8 maggio 2011 spedita all'ex segretario di Stato Tarcisio Bertone, Viganò attaccò duramente Nicolini, stimato sia da Camillo Ruini che dallo stesso Bertone, disegnandolo come vero capo della macchina del fango vaticana. "Il Dott. Maggioni [ex presidente della società pubblicitaria Sri]," spiegava nella missiva finita in prima pagina su "Il Fatto Quotidiano", "mi ha testimoniato che autore delle veline provenienti dall'interno del Vaticano è Mons. Paolo Nicolini. La testimonianza del Dott. Maggioni assume un valore determinante in quanto egli ha ricevuto detta informazione dallo stesso direttore del 'Giornale', Alessandro Sallusti, con il quale il Maggioni ha una stretta amicizia da lunga data." Secondo Viganò, Nicolini, in passato anche amministratore della Pontificia università lateranense, è un uomo i cui comportamenti "rappresentano una grave violazione della giustizia e della carità, perseguibili come reati sia nell'ordinamento canonico che civile". Durante il suo periodo all'ateneo pontificio, scrive Viganò, "a suo carico furono riscontrate contraffazioni di fatture e un ammanco almeno di 70 mila euro. Così pure risulta una partecipazione di interessi del medesimo monsignore nella società Sri Group, società inadempiente verso il governatorato per almeno 2,2 milioni di euro e che, precedentemente, aveva già defraudato 'L'Osservatore Romano'". Accuse pesantissime, che si sommavano con quelle sulla gestione della cassaforte del governatorato, ossia i Musei Vaticani. "Sono numerose le cose da dire che toccano diversi aspetti della sua personalità," continua il nunzio, "volgarità di comportamenti e di linguaggio, arroganza e prepotenza nei confronti di collaboratori che non mostrano servilismo assoluto nei suoi confronti, preferenze, promozioni e assunzioni arbitrarie fatte a fini personali: innumerevoli sono le lamentele da parte dei dipendenti dei musei, che considerano Nicolini persona spregiudicata e priva di senso sacerdotale."

Se tutti sanno che il moralizzatore Viganò perse la battaglia e fu nominato, secondo la classica formula del *promoveatur ut amoveatur*, nunzio apostolico negli Stati Uniti, pochi sono a conoscenza che le accuse contro Nicolini furono valutate da una commissione disciplinare d'inchiesta guidata da monsignor Egidio Turnaturi, ex uditore della Sacra Rota: le conclusioni non sono mai state rese note, ma dopo aver sentito testimoni e spulciato carte e documenti, i giudici vaticani hanno prosciolto Nicolini da ogni accusa, ritenendole indimostrabili, come nel caso delle veline alla stampa, o fasulle. È un fatto che Francesco abbia lasciato monsignor Nicolini a fatturare altri milioni, mentre non ha ancora richiamato il presunto moralizzatore dagli Stati Uniti.

Se il museo è uno dei fiori all'occhiello del budget del governatorato, la Fabbrica di San Pietro deve occuparsi in teoria della conservazione e del decoro della chiesa edificata dall'apostolo Pietro, ma dai documenti consultati ha pure un patrimonio davvero notevole: solo 34 mila euro di immobili, ma quasi 52 milioni di euro tra investimenti, conti bancari e titoli. Un gruzzolo in aumento costante: in cinque anni è cresciuto del

71

25 per cento. Il giro di liquidi è di tutto rispetto, con denaro che continua a entrare (circa 15 milioni di euro l'anno) grazie anche ai ticket del museo del tesoro di San Pietro e alle offerte votive della basilica. Non solo. Chi gestisce la chiesa più importante della Cristianità è il Capitolo di San Pietro, "un collegio di sacerdoti" si legge nell'*Administrationes quae a Sancta Sede Pendent*, "istituito nell'XI secolo per il governo della basilica". Ecco: il gruppetto di sacerdoti nel 2011 gestiva immobili per un valore dichiarato di 17 milioni di euro (in realtà il dato andrebbe quadruplicato, segnala un report della Cosea) e altri titoli bancari per oltre 10 milioni di euro. Difficilmente duemila anni fa il pescatore Simone, futuro san Pietro, poteva immaginare che sopra la sua tomba si sarebbe costruita non solo la più grande chiesa della Cristianità, ma un forziere prosperoso e gonfio di denaro: se la carità è per statuto una delle funzioni principali della Fabbrica, anche in questo caso sembra si preferisca fare beneficenza senza intaccare né i capitali né gli "utili" finanziari.

Le chiavi della cassaforte che sostiene la cupola del Michelangelo, da dieci anni, sono legate a doppio cordone alla tunica di Angelo Comastri. Un cardinale grossetano già influente arcivescovo di Loreto, presidente della Fabbrica per volere di Giovanni Paolo II e diventato pure arciprete della basilica di San Pietro, per decisione di Benedetto XVI. Ambizioso e determinato, Comastri deve la sua formidabile ascesa agli ottimi rapporti che vantava con il gruppo dei "polacchi", capeggiato dal segretario di Karol Wojtyla, Stanislaw Dziwisz: non è un caso che a gennaio 2005 sia stato ammesso nella short list per la presidenza della Fabbrica, e che Wojtyla abbia firmato la sua nomina il 5 febbraio 2005, nonostante fosse già ricoverato al Gemelli in gravi condizioni di salute.

La carica dà a Comastri importante prestigio. Soprattutto enorme potere. La basilica gode di un'amministrazione autonoma, gestisce un budget importante, organizza i grandi eventi della piazza e della chiesa, decide appalti milionari e conta oltre cento dipendenti tra operai e impiegati. Diventato presidente, Comastri compare spesso alle feste della Guardia di Finanza organizzate dall'ex generale Roberto Speciale, stringe legami con Viganò e il cardinale Giovanni Battista Re, scrive decine di libelli per le edizioni Paoline (*Prepara la culla: è Natale!*, *Nel buio brillano le stelle*, *Prega e sarai felice!*, i titoli più venduti), si nota in tv a *Voyager* di Roberto Giacobbo, conosce gli ex manager Paolo Scaroni e Stefano Lucchini dell'Eni, colosso petrolifero che finanzierà i restauri dei marmi di San Pietro. Inviso ai bertoniani, nessuno è riuscito a fermare la sua ascesa: lo stesso Bergoglio eletto al soglio pontificio ha deciso di lasciarlo sulle sue tante poltrone.

Ma in alcuni documenti in nostro possesso, risalenti al 2008 e firmati da un alto dirigente amministrativo della basilica, si critica duramente la gestione Comastri. Nel report, sorta di verifica interna chiesta dalla segreteria di Stato, si parla di "un ricorso anomalo e indiscriminato dello straordinario, di un numero sconsiderato dei passaggi di livello" e di un uso "a dir poco grave e irresponsabile delle procedure di aggiudicazione di alcune gare d'appalto". Il dossier usa toni severi: spiega che in un anno solare si è superata "la soglia di 45 mila ore di straordinario", con operai che sono arrivati a "punte di sedici ore al giorno" di lavoro; parla di sprechi quantificabili tra i "500 e gli 800 mila euro l'anno", di stipendi ragguardevoli (ad aprile 2008 furono venticinque gli operai a prendere più di 3 mila euro netti al mese) e di promozioni facili: "In tre anni" sarebbe stato promosso "a parità di mansione l'83 per cento degli impiegati e il 52 per cento del personale sampietrino", per una crescita dei costi "valutabile intorno a 10 punti percentuali". Dai vari documenti risulta che la busta paga più alta era appannaggio del "sampietrino soprastante" (così si chiama il capo delle maestranze specializzate della chiesa, dette a loro volta sampietrine) Andrea Benedetti (3800 euro netti al mese), capo degli operai e vero braccio destro – insieme al capoufficio Maria Cristina Carlo-Stella, citata in qualità di organizzatrice di eventi flop molto costosi "come la mostra *Petros Eni*, con perdite che superano gli 800 mila euro" – di Comastri. Benedetti è dipinto come "l'autorità assoluta" della basilica, figura che decide i programmi dei lavori ordinari e straordinari, e autorizza "ore straordinarie non programmate e non autorizzate preventivamente dai superiori", un dominus che può firmare da solo fatture "regolarmente messe in pagamento e anche di importo elevato". La nota racconta, infine, anche di presunte gare milionarie "pilotate" (per i servizi di pulizia avrebbe vinto una ditta che aveva presentato un'offerta meno conveniente di un'altra), o di appalti aggiudicati "irregolarmente", come quello per il restauro dei marmi del "prospetto sud" della basilica.

Comastri è uno tosto, e ha resistito alle critiche e alle pressioni di Bertone. Francesco di lui si fida, anche se il suo nome è finito – insieme ad altri – nell'inchiesta su Paolo Gabriele, il maggiordomo di Benedetto XVI condannato per Vatileaks: secondo la gendarmeria la gola profonda parlava anche con l'attuale arciprete e vicario di Francesco per la Città del Vaticano. Nonostante tutto la gestione di San Pietro è ancora cosa sua. Non solo: Comastri è anche vicario dello Stato della Città del Vaticano, istituzione nata nel 1929 in seguito ai Patti lateranensi firmati tra Pio XI e il regime fascista: il patrimonio immobiliare e mobiliare, secondo alcuni dati del 2011 che chi scrive ha potuto esaminare, superava i 56 milioni di euro, per un utile di esercizio che nel 2010 ha toccato addirittura i 6,2 milioni.

Il potente Comastri è adorato dai suoi "sampietrini" (il cardinale non ha paura di salire sulle gru e sporcarsi la tunica, raccontano gli operai), mentre la sua cerchia di amici lo ha sempre difeso davanti a ogni venticello calunnioso. Nessuno ha avuto nulla da ridire nemmeno quando, nel 2013, il cardinale ha deciso di affidare in esclusiva l'appalto delle audio-guide a una sola ditta, la Vox Mundi. L'affitto è obbligatorio, chiunque entri in basilica deve pagare 1,50 euro; anche i turisti che provengono dai Musei Vaticani devono aprire il portafoglio, nonostante abbiano già pagato Antenna Audio, azienda esclusivista dei Musei Vaticani. A nulla è servita la lettera di protesta che la Fiavet, l'associazione delle agenzie di viaggio, ha spedito a Comastri: "L'aggravio dei costi, le interminabili file, l'enorme confusione e l'intasamento" per il monsignore sono solo un irrilevante effetto collaterale sulla strada verso nuovi guadagni.

Supermarket vaticano

Che i Musei Vaticani siano una specie di zecca divina è cosa nota. Ma nessuno può supporre che il Vaticano possa guadagnare ancora di più con quattro-cinque negozi posizionati dietro le sacre mura. E invece la pompa di benzina, la farmacia, il tabaccaio e il supermercato fanno più incassi di Michelangelo e Raffaello, dei giardini e delle ville pontificie messe insieme. Un miracolo, dal momento che – mentre i capolavori del Rinascimento vengono presi d'assalto da cinque milioni di turisti ogni anno – gli esercizi commerciali sarebbero riservati a pochissime persone: cioè agli esponenti della curia e ai residenti (in tutto circa ottocento persone, ma solo quattrocentocinquanta di esse godono anche della cittadinanza vaticana), ai duemilaottocento dipendenti laici e a circa un altro migliaio di persone aventi diritto. Eppure il bilancio pubblicato dal governatorato parla chiaro, e pone più di qualche dubbio (soprattutto fiscale) su questi commerci. Partiamo dalla farmacia. Se in media, secondo studi dell'Associazione nazionale dell'industria farmaceutica, una farmacia italiana serve un bacino di tremilacinquecento persone fatturando 700 mila euro l'anno, il punto vendita diretto da frate Rafael Cenizo Ramírez ha incassato nel 2013 ben 32,8 milioni. Da sommare ai 41,6 milioni dell'anno precedente. In questo caso gli exploit si spiegano facilmente. Non solo la farmacia è infatti aperta a tutti e accetta le ricette e le prescrizioni di medici di Stati esteri, ma vende prodotti scontati (anche del 20 per cento) rispetto a quelli che si trovano nelle farmacie romane. Inoltre i preti smerciano pasticche che non si trovano in Italia, da antiemorroidali richiestissimi (come l'Hamolind) a costosi rimedi per malattie più gravi. Non è un caso che quella vaticana sia la farmacia più frequentata del pianeta, e che sia presa d'assalto da quasi duemila clienti al giorno.

Ma le cifre più sorprendenti degli incassi del governatorato riguardano le sigarette, i carburanti e l'annona spacci, ossia il market "tax free" d'Oltretevere. Tutte attività commerciali che sono destinate solamente ai possessori di una speciale tessera, appannaggio esclusivo – in teoria – di residenti e dipendenti. Facendo qualche divisione, però, i conti non tornano: il tabaccaio guadagna infatti 10 milioni l'anno; significa che i tremilaseicento aventi diritto fumerebbero tutti come turchi. In media due-tre pacchetti al giorno, 365 giorni l'anno. La pompa di benzina incassa invece 27 milioni: calcolando un consumo medio, ogni prete percorrerebbe 45 mila chilometri l'anno, quanto un commesso viaggiatore o un rappresentante di aspirapolveri. Il supermercato (che vende anche capi firmati e prodotti hi-tech) ha emesso scontrini per oltre 21 milioni: non è un caso che secondo uno studio del California Wine Institute nel 2012 il Vaticano sia il Paese con il più alto consumo di vino al mondo, con una media mostruosa di settantaquattro litri a persona.

Gli uomini di Giuseppe Bertello, presidente del governatorato, escludono un boom di alcolizzati. E segnalano alcuni problemi che potrebbero spiegare le anomalie contabili. In primis, è possibile che qualche dipendente compri quantità enormi di prodotti sottocosto, per poi rivenderli in Italia guadagnando in nero. "In ogni caso prenderli con le mani nel sacco sarebbe operazione difficile, perché la gendarmeria non può controllare ogni macchina che entra ed esce dalle mura leonine," spiegano dal Vaticano.

In realtà lo spread dei conti ha tutt'altra origine. Alcuni documenti in nostro possesso chiariscono il dilemma. La Cosea ha chiesto ad alcune società di revisori di conti di fare una *due diligence* anche sulle attività commerciali. L'americana Ernst&Young ha lavorato per mesi, e nel dicembre 2013 ha spedito alla Santa Sede un rapporto dettagliato di settantanove pagine, in cui segnala tutti i guadagni del triennio 2010-2012, i costi di ogni servizio, quelli di ogni ufficio controllato dal governatorato. Evidenziando criticità e proponendo consigli utili a tagliare le spese e a elaborare strategie per incassare ancora più soldi.

Ebbene, secondo le analisi inedite di EY i titolari della tessera di servizio che consente di fare acquisti dietro le mura leonine (la Cosea la definisce "commercial card") non sono affatto quattro-cinquemila, ma 41 mila. Un numero enorme, pari agli abitanti di una città come Frosinone. Per legge, il permesso viene dato solo ai dipendenti, al personale del corpo diplomatico e alle congregazioni, "ma temiamo siano tanti gli onorevoli e i potenti che approfittano dei negozi senza averne diritto," spiegano dal Vaticano.

Più che una paura, i dati che Ernst&Young ha ottenuto dalla Santa Sede disegnano una certezza: i raccomandati non si contano più. E se i clienti fanno ottimi affari, il Vaticano guadagna somme enormi. Pazienza se l'erario italiano continua a rimetterci: è un trascurabile effetto collaterale.

Leggendo le carte, si nota che il dipartimento dei Servizi economici che controlla i negozi del papa (farmacia esclusa) ha in tutto 123 dipendenti, e incassa una cifra pari al 30 per cento dell'intero fatturato del governatorato. "Il carburante rappresenta per il dipartimento la fonte di guadagno e di margini più importanti," scrivono gli analisti di Ernst&Young. Le pompe di benzina sono due, e "il prezzo per i consumatori è 20 per cento più basso rispetto a quello italiano. Il costo di acquisto per il Vaticano non include la tassazione. Il fornitore attuale è l'Eni". Il rapporto elenca anche alcuni "temi caldi" del commercio. Se su 27 milioni di euro di benzina venduti nel 2012 (l'utile netto, tolte le spese, è di 13,7 milioni), "il 18 per cento è stato venduto a clienti 'sconosciuti', ci sono 550 tessere che hanno superato il limite annuale" di acquisti, pari a 1800 litri. In tutto, hanno fatto la fila alla pompa ben 27 mila persone, molte più di quelle autorizzate. Di fronte a cifre del genere, pur non avendo prove, non si può escludere che nell'equazione entri anche la compravendita di gasolio su mercati paralleli, ovviamente in nero. Una curiosità: secondo i dati della motorizzazione vaticana, la Santa Sede ha immatricolato 299 automobili tra il 2010 e il 2012. Cardinali e monsignori hanno quasi tutti la loro auto, e qualcuno ha chiesto e ottenuto anche il benefit dell'autista: su 39 dipendenti dell'ufficio preposto, 24 fanno avanti e indietro per le strade di Roma per accompagnare le tonache a riunioni, pranzi, eventi e messe varie.

I fortunati possessori della tesserina possono anche comprare cibo scontato al supermarket (chiamato "annona", il suo fatturato nel 2012 ha superato i 20 milioni), abiti firmati e televisori ultratecnologici nel corner shop (fatturato da 16-17 milioni l'anno) e, soprattutto, rifornirsi di sigarette dal tabaccaio di Dio. "Il tabacco," spiegano quelli di Ernst&Young, "è la seconda più importante fonte di utile del dipartimento dei servizi economici. Ogni tessera può acquistare massimo cinque stecche al mese." Per non rinunciare a un incasso che viaggia oltre i 10 milioni l'anno e per non deludere gli undicimila affezionati clienti, però, il Vaticano preferisce chiudere un occhio sulle regole che esso stesso si è dato: non solo 650 "cards" sorpassano di molto il limite di acquisto consentito, ma migliaia di persone non autorizzate dalla legge riescono a portarsi a casa pacchetti di bionde e sigari cubani a pochi soldi. Anche qui con danni ingenti per l'erario italiano.

Soldi a palate arrivano pure al botteghino dell'ufficio filatelico e numismatico. Nel 2012 il fatturato è arrivato a 19,8 milioni, in crescita costante dal 2009, quando i ricavi si fermavano a 16,5 milioni. Nel 2015 le emissioni potrebbero superare ogni record, non c'è evento che non venga celebrato stampando francobolli e monete commemorative: sono state vendute monete celebrative bimetalliche da 2 o 5 euro per "l'incontro mondiale delle famiglie a Philadelphia" e per "l'assemblea generale ordinaria del sinodo dei vescovi", monete da 10 euro in argento per "il 10° anniversario della morte di Giovanni Paolo II" e da 20 euro per "il Pontificio Santuario della Beata Vergine del santo Rosario di Pompei", fino a quelle da 100 e 200 euro, in oro, coniate rispettivamente per commemorare "gli evangelisti: Matteo" e "le virtù cardinali: Prudenza". Decine di migliaia di collezionisti cercano di accaparrarsi anche le serie limitate di francobolli. Anche qui ogni occasione è buona per stampare: il Vaticano vende affrancature non solo per Pasqua e Natale, ma altresì per il bicentenario della nascita di don Giovanni Bosco e "l'Anno internazionale della luce proclamato dall'Onu", per "i Vecchi giocattoli", il 1400° anniversario della morte di san Colombano di Bobbio e il 150° della fondazione dell'Unione internazionale delle telecomunicazioni.

Rispetto agli utili che vengono intascati attraverso musei, negozi e francobolli, le altre entrate commerciali sono residuali: l'ufficio turistico, nell'ultimo bilancio disponibile, ha incassato 2,8 milioni di euro, mentre il tribunale della Sacra Rota – che secondo una vox populi sarebbe assai redditizio – è in perdita da anni, con rossi superiori a 2 milioni l'anno. Discorso a parte, invece, va fatto per il sistema dei mass media controllato dal papa: anche se in perdita, il valore patrimoniale dell'"Osservatore Romano" (è il quotidiano diretto da Giovanni Maria Vian il vero organo ufficiale della Santa Sede, il più venduto "Avvenire" è infatti di proprietà dei vescovi della Conferenza episcopale italiana), della Libreria editrice vaticana e di Radio Vaticana è di tutto rispetto. Se la Tipografia vaticana che edita l'"Osservatore" fattura 13,7 milioni l'anno e le antenne perdono un sacco di soldi, la diffusione della liturgia e della dottrina cattolica nel 2011 ha portato nelle casse delle tre librerie ufficiali, guidate da monsignor Giuseppe Antonio Scotti, 18,5 milioni. Un tesoro che si basa, essenzialmente, sul controllo dei copyright dei discorsi del papa. E delle encicliche, naturalmente: l'ultima "lettera" di Francesco, intitolata *Laudato si'*, è stata prima in classifica per settimane.

La fabbrica dei santi

Fino a ottobre 2013, sul conto Ior destinato alla canonizzazione della beata Francisca Ana de los Dolores, una congrega spagnola di Palma di Maiorca ha depositato la bellezza di 482.693 euro. La montagna di soldi necessaria a santificare Francisca non è l'eccezione. Dal 2007 al 2013 le missionarie di Sant'Antonio Maria Claret hanno infatti investito per la beatificazione di madre Leonia Milito, tra soldi della congregazione e donazioni dei fedeli, circa 116 mila euro. Ma in gran parte sono finiti in fondi d'investimento. "La somma depositata è apparentemente elevata perché non abbiamo ancora pagato e ultimato la 'positio' e il futuro presunto miracolo," si giustificano in una lettera al prefetto della Congregazione delle cause dei santi suor Lidia e suor Teresa. "L'istituto è impegnato anche in piccoli gesti, affinché il lavoro di beatificazione della nostra madre fondatrice non soffrisse a causa della manutenzione economica."
I giri di denaro attorno alla beata spagnola e a ma-

EY has been engaged to perform a strategic and operational analysis of the cultural and commercial activities of the Governorate in order to identify improvement opportunities.

Current Situation

Vatican Museums: revenue increase 6% while costs are growing by 9%; 84% of the revenue is generated by ticket sales, and the other 16% come from catering, souvenirs & bookshop, audio & radio guide sales (outsourced activities).

Commercial activities (key highlights)

A general observation on the commercial activities is related to the customer base. To access most of the commercial activities it is necessary to hold a Commercial Card and, currently, there are over 41.000 card holders authorized to buy different types of products (this was probably not the original intent, as there are only 5.000 people working for the Vatican today and the number of cards issued is 8x).

- *Supermarket*: margin declining (revenue growing +9%, but costs growing +17%); more than 17.000 SKUs for a 900 sqm sales floor (benchmark for 1.000 sqm is ~10.000 SKUs)
- *Fuel*: 27.000 people buying fuel, with 550 exceeding the 1.800 liters/year limit; 18% of the sales registered with "Service Card" (no specific cardholder)
- *Clothes and Electronics*: more than 16.000 clients; More than 22.700 SKUs
- *Tobacco*: more than 11.000 clients, with 278 exceeding the 80 boxes/year limit; 14% of the sales registered with "Service Card" (no specific cardholder)
- *Pharmacy and Perfumery*: declining revenue -17%; 30% of sales come from perfume and body care products; 1.900 clients per day; no Commercial Card is required for Perfumery and only a prescription for the Pharmacy.

Proposals for the future – Cultural & Commercial activities

Cultural activities

- *Vatican Museums:* should be considered one of the cornerstones for the Vatican's economic development. EY has benchmarked the Vatican Museums with the Top 10 Museums of the world (in visitors) comparing key performance indicators and developing a proposal of potential growth strategies, including the extension of the daily opening hours and opening days of the week (i.e. opening on Sundays), expanding the exhibition area, increasing ticket prices, leveraging the "brand" to increase merchandise sales, etc.
- *Tourists and Pilgrims Office:* strategies suggested include fostering welcome and care services to pilgrims and exploring potential new channels (for communication and sales)
- *Philately and Numismatic:* strategies suggested include evaluating potential best location, enlarging the product range and opening a dedicated museum.

Commercial activities

EY recommends the following actions to improve the control environment and reduce the operational and / or economic risks of the Commercial Activities:

- Regarding the Commercial cards: review the policy and requirements for issuing cards; review the status of temporary cards; adjust the limits of use; avoid "service cards" usage
- Regarding operators / subcontractors contracts: agree on a temporary extension of the current contracts until a new partnership strategy has been defined and a robust procurement process is in place

The commercial activities should turn their focus from revenue and profit generation to a basic product supply. In this respect, specific actions for each activity are included below:

- *Supermarket:* adjust target customers and reduce product assortment; additionally, evaluate an alternative location
- *Fuel:* adjust target customers; additionally, evaluate number and location of points of sale and consider partnership with a third party operator.
- *Pharmacy:* adjust target customers and reduce product assortment
- *Clothes & Electronics:* adjust target customers and product assortment; long term, the activity can be discontinued
- *Tobacco:* adjust target customers, increase price (equating the Vatican price to Italian prices); long term, the activity can be discontinued
- *Perfumery:* increase price (equating the Vatican price to Italian prices), adjust target customers and establish a maximum amount allowed by cardholder; long term, the activity can be discontinued

Rapporto Ernst&Young sulle entrate commerciali del governatorato.

dre Leonia non sono gli unici che hanno preoccupato il cardinale Giuseppe Versaldi: il 16 gennaio 2014 l'allora capo della prefettura degli Affari economici ha infatti preso carta e penna intimando al postulatore dei carmelitani scalzi Ildefonso Moriones, vista la presenza di "transazioni in denaro non attinenti con la finalità della causa e del suo normale svolgimento", una "immediata sistemazione dei conti, l'esclusività di utilizzo delle risorse e una sostanziale moderazione nell'utilizzo del denaro contante".

Quando ha visto il rapporto interno mandatogli dalla prefettura degli Affari economici, Francesco ha capito che le voci che da anni girano sulla "fabbrica dei santi" non erano affatto ciarle dei maligni. Il papa aveva già qualche sospetto e così nell'estate del 2013 aveva chiesto alla Cosea e al ministero, al tempo guidato da Versaldi, un'inchiesta approfondita per far luce sui costi e sui conti delle cause di beatificazione e canonizzazione gestite dalla Congregazione delle cause dei santi. Dopo qualche mese, venuto a conoscenza dei risultati dell'istruttoria, ha visto con i suoi occhi che la realtà superava ogni fantasia. Costi folli, avvocati che gestiscono i denari delle cause di cui sono "postulatori" attraverso i loro conti privati allo Ior, fondi per le cosiddette "cause povere" ridotti al lumicino.

Soprattutto, Francesco ha capito che la fabbrica della santità voluta da Sisto V nel 1588 lavora oggi non solo a pieno ritmo, ma sembra ispirarsi all'aforisma del poeta latino Giovenale, secondo il quale "la reputazione dipende soltanto dai quattrini che uno ha in cassaforte": è un fatto che per i santi in pectore con buoni uffici sulla terra sarà assai più facile correlarsi con il divino, rispetto ai colleghi che hanno sponsor meno ricchi e lobby meno influenti che ne spingano il cammino verso l'agognata aureola. Nel 2005 il cardinale José Saraiva Martins, allora prefetto della Congregazione delle cause dei santi, nel libro-intervista *Come si fa un santo* spiegò che i costi della canonizzazione, tra spese vive della Congregazione, rimborsi agli studiosi, ricerche, volumi e tipografia, arrivavano in media a una soglia massima di 14 mila euro. Dalle centinaia di documenti consultati da chi scrive, è certo che la cifra in moltissimi casi è assai più alta, e che per un rapido e positivo esito della causa il peso del denaro e l'influenza delle camarille è enorme.

La strada per raggiungere la santità non è semplice, e prevede regole burocratiche rigide e complesse. Se gli storici ricordano che in antichità il papa poteva canonizzare un martire per sua decisione o persino dopo semplice acclamazione popolare, alla fine del Cinquecento papa Sisto V stabilì criteri specifici per il riconoscimento della divinità, in modo da evitare abusi ed eccessi, e decise che un nuovo organismo, ribattezzato poi da Giovanni Paolo II Congregazione delle cause dei santi, trattasse il percorso verso la beatitudine attraverso un processo basato sul diritto canonico.

Oggi chiunque faccia parte "del popolo di Dio" può chiedere l'apertura di un procedimento (in genere a fare domanda sono parenti, amici e, soprattutto, gli ordini religiosi a cui apparteneva l'aspirante), ovviamente solo dopo la morte del candidato. Sono loro gli "attori" della causa, che hanno anche il compito di incaricare un postulatore, sorta di avvocato difensore che istruirà e perorerà la causa. La prima parte del processo è detta "diocesana", e non può prendere il via senza il nulla osta del vescovo competente, in genere quello del territorio in cui il candidato è deceduto.

A processo iniziato l'esaminando assurge a "servo di Dio", e la sua vita e le sue opere vengono scandagliate attraverso un'investigazione del postulatore. Se dopo testimonianze, ricerche e interviste vengono scoperti presunti eventi miracolosi, la causa entra nella sua seconda fase, quella romana, e si sposta in Vaticano. È negli uffici della Congregazione, a due passi da piazza San Pietro, che il postulatore dovrà depositare la sua "positio", cioè la relazione finale sul candidato che verrà analizzata dal promotore di giustizia, il magistrato della Congregazione che deve dare il suo avallo alle virtù dell'aspirante beato e alla veridicità del miracolo presentato nella positio. Il prodigio che si dibatte nel processo è quasi sempre una presunta guarigione di un malato ritenuta scientificamente inspiegabile, che viene discussa da una commissione medica di sette medici (sia credenti che non, oggi è presieduta dal professore Patrizio Polisca, già medico personale di Benedetto XVI) convocata sempre dalla Congregazione.

Alla fine è un congresso teologico, formato da nove esperti, a sancire se il servo di Dio può diventare beato, ma la proclamazione finale spetta esclusivamente al pontefice. Se gli attori, poi, volessero far proseguire il cammino dell'eletto verso una nuova promozione celeste, il postulatore deve dimostrare in un nuovo processo canonico che il candidato ha compiuto un ulteriore miracolo dopo la beatificazione, e merita di diventare santo.

Questa, in estrema sintesi, è la procedura standard. Quello che i manuali vaticani non dicono, però, è che chi vuole tentare di elevare un suo caro agli onori degli altari deve spendere tantissimi soldi. Ogni causa ha la sua storia, e i costi sono variabili: la cifra finale dipende dall'onorario del postulatore, dalla difficoltà e dai tempi necessari a vagliare la documentazione, da eventuali richieste di approfondimento e dai viaggi necessari a raccogliere informazioni. Ma a vedere i documenti di centinaia di pratiche dal periodo che va dal 2008 al 2015, si tratta in genere di decine, spesso di centinaia di migliaia di euro. Anche la lista delle uscite fisse è impressionante: si va dalle tasse e i diritti da versare alla Santa Sede ai costi delle traduzioni (alla fine la positio deve essere consegnata interamente in latino), dalle consulenze per teologi e studiosi alle perizie mediche, fino ai decreti (sul martirio o sul miracolo), alle spese per il congresso dei teologi e i denari per l'organizzazione della cerimonia di beatificazione e canonizzazione: per la sola giornata di beatificazione del filosofo Antonio Rosmini, secondo un prospetto distribuito nel 2003 dall'allora postulatore della causa, si sarebbero dovuti spendere 375 mila euro.

Finora nessuno aveva contezza delle proporzioni del business, ma in passato molti – anche autorevoli esponenti cattolici – avevano criticato l'eccesso di santificazioni e storto il naso di fronte all'inflazione di benedetti imposta da Giovanni Paolo II, che durante i ventisette anni del suo pontificato ha proclamato 1338 beati e 482 santi, quasi un quarto di tutti quelli canonizzati nei precedenti cinque secoli. Di certo, la proliferazione – interrotta con l'avvento di Benedetto XVI, che ha imposto ritmi più tradizionali chiedendo, attraverso una nota scritta ai vescovi, maggiore rigore nell'apertura della fase diocesana del processo – è dovuta a una precisa scelta teologica di Karol Wojtyla, desideroso di mostrare alla comunità dei cattolici che chiunque, con le opere e il martirio, può aspirare a diventare santo.

Ma è un fatto che il boom (attualmente le cause in giacenza sono circa tremila) ha comportato anche un vertiginoso aumento dei prezzi. L'apertura dell'inchiesta voluta da papa Francesco aveva due compiti principali: valutare la reale entità del business e verificare eventuali movimenti finanziari non appropriati. Molto più degli uffici vaticani della congregazione, infatti, sono i postulatori i veri cassieri di ogni singola causa, a volte monsignori a volte avvocati laici (diplomati alla scuola vaticana preposta, lo "studium") che – dopo aver ricevuto la procura da parte di persone fisiche, congregazioni o ordini religiosi – raccolgono i soldi che gli attori depositano in un conto corrente, aperto per l'uopo allo Ior. Sono sempre i postulatori a gestire, nel corso degli anni della durata della causa, tutti i fondi e i beni destinati al futuro beato, e a saldare i conti con gli uffici vaticani e i consulenti esterni. Così dal 2013, nel tentativo di ripulire l'istituto e attuare le nuove direttive antiriciclaggio, la prefettura degli Affari economici ha ordinato a tutti i postulatori titolari di conti allo Ior di inviare alla Congregazione ogni movimento finanziario da loro effettuato. Alla fine dell'istruttoria Bergoglio ha deciso che l'andazzo era inaccettabile, e che andava cambiato. Al più presto. Ha convocato Angelo Amato, attuale prefetto della Congregazione e cardinale considerato vicino a Tarcisio Bertone, chiedendo lumi sulle cifre da capogiro indicate dal report. Poi ha comandato alla Cosea e alla prefettura di disporre il blocco temporaneo dei conti Ior dei postulatori fintanto che non fossero analizzate ogni entrata e ogni uscita. L'esame dei faldoni è terminato solo nel 2015. Studiando le carte sembra che le sorprese, alla catena di montaggio della fabbrica dei santi, non finiscano mai.

I cacciatori di miracoli

In Vaticano circola una battuta: "Se vuoi diventare santo devi passare per lo studio dell'avvocato Ambrosi". Più che un motto di spirito, è un dato di fatto: da quasi quarant'anni Andrea Ambrosi è il principe indiscusso dei postulatori vaticani, un professionista riservato capace di far beatificare decine e decine tra frati e martiri, sacerdoti e suore, laici e religiosi, imperatori e cardinali. A oggi, sono ancora centinaia i casi aperti istruiti dall'avvocato romano, e altrettanti i conti Ior gestiti direttamente da lui. I postulatori laici sono tanti, ma qualcuno – come Ambrosi e l'avvocato Silvia Correale – sono più gettonati di altri, forse perché più bravi e svelti, capaci di portare le cause in porto in tempi rapidi.

"Per quanto riguarda la sezione miracoli, il primo che ci è stato segnalato è avvenuto a Pittsburgh e ha avuto come protagonista il bambino F. Fontana. Dal punto di vista canonico tutti i passaggi sono stati compiuti regolarmente, fino alla presentazione del processo alla Congregazione delle cause dei santi. Ma proprio

CONGREGAZIONE
DELLE CAUSE DEI SANTI

Roma, 30 ottobre 2013

Prot. N. VAR. 7326/13

Eminenza Reverendissima,

con riferimento alla mia precedente lettera del 10 settembre 2013, stesso protocollo, invio ulteriore documentazione, come richiesto dalle indicazioni della Pontificia Commissione referente di Studio e di Indirizzo sull'Organizzazione della Struttura Economico-Amministrativa della Sante Sede.

Questa Congregazione ha preso atto dei 4 bilanci (nn.143-146) che si allegano, controfirmati dagli attori, e chiede che si provveda allo sblocco dei relativi conti correnti presso lo I.O.R.

Faccio presente che si è ritenuto opportuno porre all'attenzione del postulatore, l'avv. Andrea Ambrosi, l'imprescindibile esigenza di rivedere i suoi onorari, nonché i costi delle Cause, alla luce di prossime disposizioni del Dicastero e di attenersi rigorosamente, in futuro, alle norme vigenti (cfr. allegato).

Da parte di questo Dicastero non si mancherà di vigilare in tal senso.

Colgo l'occasione per confermarmi con sensi di distinto ossequio

dell'Eminenza Vostra Rev.ma
dev.mo

Angelo Card. Amato, SDB
Prefetto

(con Allegati)

A Sua Eminenza Reverendissima
Il Sig. Card. Giuseppe VERSALDI
Presidente della Prefettura
per gli Affari Economici della Santa Sede
Città del Vaticano

Lettera del cardinale Amato al cardinale Versaldi sui costi troppo alti delle cause dei santi.

quando la 'positio' era pronta ad andare in discussione, ci è stata segnalata la presenza di un caso ancor più eclatante, quello di un neonato, di nome James F., di Peoria, resuscitato dopo sessantun minuti di arresto cardiocircolatorio. Dovendo scegliere tra uno dei due, abbiamo optato per questo secondo... Anche qui le cifre poste in bilancio si comprendono facilmente tenendo conto del grande lavoro fatto per portare avanti due miracoli, dall'inizio alla fine."

Il caso dell'arcivescovo e telepredicatore americano Fulton John Shcen, descritto dalle note spese del postulatore Ambrosi, è esemplare. Il conto Ior destinato alla beatificazione a fine 2008 aveva un saldo di 39 mila euro, mentre i costi annuali sono quasi tutti legati all'onorario di Ambrosi. Che prende dalla fondazione Sheen 10 mila euro, mentre altri 1600 euro se ne vanno per "decreti di validità", la nomina del relatore, e altre scartoffie imposte dalla congregazione. L'anno successivo i costi crescono: il postulatore prende altri 18 mila euro, le spese tipografiche per la rilegatura de "la positio, la relatio et vota" costano altri 7500 euro, le traduzioni oltre 6 mila. La gestione della causa ha un costo fisso di 2 mila euro, ma ogni sospiro dei legali dello studio Ambrosi ha un prezzo. Nel 2010 i fan del futuro beato sono costretti a spendere altri 71 mila euro per nuove traduzioni, mentre l'onorario del postulatore stavolta sfonda quota 52 mila euro, risucchiati come acconto e stesura della positio. Nel 2011 la causa costa altri 127 mila euro: 56 mila euro se ne vanno per varie consulenze e per lo studio, a cui si sommano 5700 euro per il congresso teologico e ben 13 mila euro per un viaggio di due persone negli Stati Uniti. Le uscite per la tipografia arrivano a 51.200 euro.

Nel 2012 le spese toccano i 68 mila euro (di cui 16 mila di traduzioni), e nel 2013 altri 21 mila, gran parte necessari alla stesura della positio. Alla fine della fiera, finora la causa è costata – solo per gli anni 2008-2013, ma l'apertura delle pratiche di canonizzazione è avvenuta nel 2002 – oltre 332 mila euro. "Questa causa S. vita, virtutibus et fama sanctitatis del venerabile Servo di Dio si trova al termine della fase romana del processo per la beatificazione," scrive Ambrosi a gennaio del 2014, per spiegare al Vaticano come mai i costi siano così alti. "La stesura della positio si basa sullo studio e l'elaborazione di oltre settanta volumi. Essendo poi stato monsignor Sheen uno dei più fecondi scrittori di Gesù e Maria, ho dovuto farmi mandare e leggere – per trovare spunti aggiunti sull'esercizio virtuoso – la sua opera omnia, ammontante a ben ottantatré volumi. Per la stesura della positio, oltre alle mie forze, si sono aggiunte anche quelle di due mie collaboratrici, con le quali ho lavorato per due anni. Ciò va tenuto presente nel valutare l'elevato importo complessivo." Il paradosso, però, è che tutti i denari spesi non sono serviti quasi a nulla: la beatificazione è stata sospesa a tempo indeterminato, poiché l'arcidiocesi di New York si è rifiutata di spostare (temporaneamente) le spoglie di Sheen nella città dove visse fin da bambino e ordinato sacerdote, Peoria, operazione necessaria affinché la causa possa andare avanti nel suo percorso.

Analizzando le decine di cause gestite da Ambrosi sono davvero tante quelle a sei cifre. Soprattutto quando si tratta di aspiranti eletti americani sembra davvero non si badi a spese. Per il processo di beatificazione di padre Patrick Peyton, irlandese trasferitosi da giovane nell'Indiana e devoto a Maria e al Rosario, tra il 2011 e il 2013 l'onorario del postulatore ha superato i 76 mila euro; ancora più alto quello di padre Emil Kapaun, cappellano militare morto nella guerra di Corea, il cui conto segna entrate per 266 mila euro e 138 mila euro di uscite. Nello stesso periodo Ambrosi incassa anche in Europa, dagli attori che vogliono santo il medico tedesco Heinrich Hahn (le uscite contabilizzate sempre nello stesso arco di tempo arrivano a 75.952 euro), dalla causa per il missionario sloveno nato alla fine del Settecento Friderik Baraga, primo vescovo della diocesi di Marquette in Michigan (costi schizzati a 95 mila euro, tutti pagati dalla chiesa locale grazie a offerte e finanziamenti), da quella per il servo di Dio Engelmar Unzeitig le cui uscite, tra il 2008 e il 2013, sfiorano gli 82 mila euro, e infine da quella per la canonizzazione di Clelia Merloni, delle apostole del Sacro Cuore di Gesù: per due anni di lavoro Ambrosi prende onorari che superano i 100 mila euro. "Un lavoro molto complesso, che ha richiesto un'intensa collaborazione tra il personale del mio studio e le suore attrici della causa," chiarisce il legale in una nota mandata al Vaticano. Ma, a sorpresa, l'avvocato specialista nel trovare miracoli il 5 settembre 2013 scrive una lettera all'amico cardinal Amato, spiegandogli di non poter inviare i movimenti completi di decine e decine di pratiche. Come mai? Ambrosi rivela che fino a pochi mesi prima i fondi di tutte le cause di cui è postulatore confluivano nei suoi conti personali (cointestati con la moglie) che poi erano stati scorporati in modo da assegnare a ciascuna causa il proprio conto. Per quanto riguarda gli anni precedenti, tuttavia, Ambrosi invoca il diritto alla privacy: gli estratti conto rivelerebbero non solo i movimenti delle cause postulate, ma anche le entrate e le uscite della sua famiglia. Il cardinale Amato, pare, non ha avuto nulla da ridire. In Vaticano la privacy è sacra.

Fare un santo può costare un occhio della testa. L'arcivescovo di Paderborn, per vedere beato il prete antinazista Franz Stock, in cinque anni ha speso 208 mila euro, in gran parte finiti allo studio Ambrosi che – anche in questo caso – è il postulatore della causa. Stavolta molte spese sono state fatte in America, a San Francisco, dove nel 1998, per intercessione di Stock, un uomo sarebbe guarito dal cancro. "A San Francisco è stato arduo trovare gli argomenti giusti per convincere i medici curanti a collaborare e in special modo a presentarsi in tribunale per deporre... È stato molto complesso trovare il raccordo tra la visione della Francia e della Germania in tempo di guerra: ricordo che Franz Stock, tedesco, ha trascorso gli anni più proficui del suo apostolato in Francia," dichiara per iscritto il legale per giustificare ancora una volta, "cifre che all'apparenza potrebbero sembrare elevate."

Il principe dei postulatori ha un'attività decisamente fiorente: tra dicembre 2012 e gennaio 2013 alcune suore carmelitane della Pennsylvania gli versano 31 mila euro per iniziare la causa di Therese Lindenberg, mentre due mesi dopo incassa altri 25.500 euro dall'associazione "Unione di preghiera per la pace tra i popoli" intitolata a Carlo I d'Austria, l'ultimo imperatore asburgico fatto beato nel 2004 che i fan vogliono santo al più presto: le fatture di Ambrosi riguardano una "consulenza vescovo di Santa Fe" (6000 euro) e "consulenze richieste dal tribunale ecclesiastico" (18 mila euro), mentre i viaggi del legale e di un suo assistente negli Stati Uniti per la ricerca del miracolo regale sono arrotondate: 10 mila euro precisi precisi.

Sarà un caso, ma le canonizzazioni più costose sono quelle in cui gli attori sono congregazioni e ordini religiosi statunitensi, in media assai più ricche di quelle del Sud America o dell'Asia: per Nelson H. Baker, il reverendo e vicepostulatore Paul Burkard in sei anni ha speso per esempio 88 mila euro, la società di devozione per padre Edward Flanagan in nemmeno due anni ne ha tirati fuori 41 mila, l'arcidiocesi di Oklahoma City che vuole beato Stanley Francis Rother circa 101 mila.

Anche i tedeschi non badano a spese: sempre seguiti dallo studio Ambrosi, i preti dell'arcidiocesi di Friburgo per la causa di Bernardo di Baden hanno investito solo tra il 2010 e il 2013 oltre 98.800 euro (13.500 solo per la trascrizione di "un processo storico manoscritto in latino, molte centinaia di pagine," spiega il legale romano), mentre dal 2009 al 2013 le Povere suore francescane dell'Adorazione perpetua di Olpe, paesino di 25 mila anime della Germania centrale, invece di seguire gli insegnamenti parchi di san Francesco, hanno deciso di girare 126.895 euro sul loro conto allo Ior per beatificare Maria Theresia Bonzel, creatrice dell'ordine e assurta agli onori degli altari il 13 novembre del 2013.

Avv. Dr. Andrea Ambrosi
Patrocinante presso la Rota Romana e
la Congregazione delle Cause dei Santi
Postulatore delle Cause di Beatificazione e Canonizzazione

DICHIARAZIONE

AGGIUNTIVA DEL POSTULATORE

CAUSA DI BEATIFICAZIONE E DI CANONIZZAZIONE DEL SERVO DI DIO FULTON SHEEN
(Prot. n. 2505)
riguardante i rendiconti economici degli anni 2008/2013)

Roma, 22 gennaio 2014

Questa Causa *s. vita, virtutibus et fama sanctitatis del ven. Servo di Dio* si trova al termine della fase romana del processo per la beatificazione. I rendiconti economici presenti rilevano le cifre spese nel corso di questi anni in forma di diversi pagamenti di acconto, per quanto riguarda:

a) *la stesura della Positio S. vita, virtutibus et fama sanctitatis*, la quale si basa sullo studio e l'elaborazione di oltre 70 volumi di Copia Pubblica. Essendo poi stato Mons. Sheen uno dei più fecondi scrittori di Gesù e di Maria, ho dovuto farmi mandare e leggere – per trovare spunti aggiuntivi sull'esercizio virtuoso – la sua opera omnia, ammontante a ben 83 volumi. Per la stesura della Positio, oltre alle mie forze, si sono aggiunte anche quelle di due mie collaboratrici, con le quali ho lavorato per due anni. Ciò va tenuto presente nel valutare l'elevato importo complessivo.

b) Per quanto riguarda la sezione miracoli, il primo che ci è stato segnalato è avvenuto a Pittsburgh ed ha avuto come protagonista il bambino Fulton Fontana. Dal punto di vista canonico tutti i passaggi sono stati compiuti regolarmente, fino alla

Via di Tor Millina, 19 – 00186 Roma
Tel. 06.6892622 – Fax 06.68130862 – e-mail : avvambrosi@mclink.it
English: avvambrosi@tiscali.it
Deutsch / Français: studioambrosi@tiscali.it

Dichiarazione dell'avvocato Ambrosi che giustifica i costi alti della causa del servo di Dio Fulton John Sheen.

presentazione del processo alla Congregazione delle Cause dei Santi. Ma proprio quando la *Positio* era pronta per andare in discussione, ci è stata segnalata la presenza di un caso ancor più eclatante, quello di un neonato, di nome James Fulton, di Peoria, resuscitato dopo 61 minuti di arresto cardiocircolatorio. Dovendo scegliere tra uno dei due, abbiamo optato per questo secondo; attualmente la *Positio* è prossima ad andare in Consulta Medica.

Anche qui le cifre poste in bilancio si comprendono facilmente tenendo conto del grande lavoro fatto per portare avanti due miracoli, dall'inizio alla fine.

Distinti ossequi.

Avv. Andrea Ambrosi
Postulatore

Dunque, per vedere santificati i fondatori e antenati più illustri, monsignori, vescovi e confraternite si dannano l'anima, e sono disposti a versare a Roma e alla fabbrica vaticana fiumi di denaro. Per le comunità cattoliche sapere che un proprio beniamino siede al fianco del Signore è motivo di rinnovata fede e orgoglio locale, e le varie Chiese, da secoli, non si fanno sfuggire un'occasione così preziosa, investendo nella causa il loro patrimonio e le offerte che riescono a raccogliere dai fedeli. Non stupisce che una delle cause di canonizzazione più costose sia quella che dal 1996 cerca di far assurgere alla beatitudine padre Michael McGivney, fondatore dell'associazione cattolica più ricca e potente del globo, quella dei Cavalieri di Colombo. Lobby influentissima composta da 1,8 milioni di iscritti, dedita alla beneficenza (170 milioni di dollari sono stati girati in tutto il mondo solo nel 2014), al volontariato e al business delle polizze assicurative sulla vita: nell'ultimo bilancio pubblicato le polizze sottoscritte hanno superato la soglia dei due milioni, per un valore complessivo che ha raggiunto l'iperbolica cifra di 99 miliardi di dollari, mentre gli asset investiti direttamente dai Cavalieri in fondi e azioni ha toccato i 21 miliardi. Caso più unico che raro dall'inizio della crisi economica nel 2008 i Cavalieri sono riusciti ad accrescere il loro giro d'affari del 41 per cento. Per l'attuale capo dei "Knights" Carl A. Anderson, Cavaliere supremo dell'ordine ed ex membro dello Ior, i soldi girati per la beatificazione di McGivney sono probabilmente un'inezia, ma in assoluto le cifre che Ambrosi ha dovuto mostrare alla prefettura degli Affari economici e alla Cosea fanno comunque impressione: 6 mila euro per "consulti medici", 27 mila euro "per un viaggio di lavoro del postulatore con il suo assistente-interprete" avvenuto nel 2009, altri 13 mila per un viaggio nelle Filippine alla ricerca di un miracolo del venerabile McGivney, 61 mila "per il lavoro svolto nel processo diocesano a Manila". Tasse vaticane, positio e decreti, alla fine, hanno finora portato la causa a superare i 233 mila euro di spese.

Il Vaticano ha sempre negato che i costi della fabbrica dei santi fossero alti, sottolineando che eventuali eccessi non sarebbero certo dipesi dalla Santa Sede. "Una cosa sicura è che non è la Congregazione a determinare le spese," ragiona l'ex prefetto José Saraiva Martins sull'"Osservatore romano". "Non interveniamo se non in modo indiretto. È il postulatore della causa il 'cassiere', quello che raccoglie i soldi necessari e salda i conti. La Congregazione mette solo in collegamento i diversi attori del processo, e nulla di più." In realtà, però, è il Vaticano che nomina tutti i postulatori, ecclesiastici (che, a parte il rimborso delle spese, spesso non prendono nemmeno un euro) e laici, ed è sempre la Congregazione che organizza i corsi obbligatori a cui i postulatori devono partecipare: il patentino per entrare nel giro delle santificazioni, insomma, lo dà la Chiesa. Inoltre fino all'inchiesta voluta da Francesco il controllo sui costi è stato minimo. E poca attenzione è stata data ai possibili conflitti di interesse nel business della tipografia, una delle voci più costose di ogni causa: l'unica società che ha il monopolio per stampare i documenti da depositare presso la Congregazione delle cause dei santi è la Nova Res srl a piazza di Porta Maggiore, il cui pacchetto di maggioranza è in mano alla famiglia dell'avvocato Ambrosi, che – secondo i dati della Camera di Commercio di Roma – solo nel 2013 ha ottenuto dalla Nova Res ricavi per 621 mila euro.

I controllori mandati da Francesco hanno puntato l'attenzione anche sui movimenti contabili della causa di beatificazione di Theophilo Matulio (il nuovo postulatore dichiara alla Congregazione "di non possedere informazioni dettagliate sulle spese" del suo predecessore), sul conto Ior della postulazione generale dell'Ordine dei Minimi (dove il conto veniva usato anche per prestiti ad personam), sugli investimenti finanziari di congregazioni colombiane di Medellín transitati sui conti destinati, in teoria, ai servi di Dio. "Per quanto attiene alle pratiche ricevute dalla postulatrice Silvia Correale, si segnala che, nella loro generalità, le cause in oggetto risultano particolarmente carenti di giustificativi e di descrizioni, sia per le voci in entrata che per le voci in uscita," spiega Versaldi al prefetto della Congregazione Amato, richiedendo pure "la documentazione a supporto delle uscite per un catering da 10 mila euro" necessarie alla beatificazione di François Nguyên van Thuán; rilevando "le eccessive movimentazioni in denaro contante" effettuate dal postulatore Paolo Vilotta per la canonizzazione di Isabel Cristina Campos; e chiedendo "maggiori dettagli, in particolare sulle voci in uscita" per la beatificazione di Eduardo Francisco Pironio. "Infatti non risulta presente un bilancio che possa in qualche modo dare un'idea dell'impiego delle risorse a disposizione di tale causa che, sebbene definita 'poverissima' dalla postulazione, in definitiva non appare poi così povera." Ma il papa e i suoi uomini si lamentano dell'assenza di fatture che comprovino le spese e il lavoro svolto da postulatori, medici, traduttori ed esperti vari. "Questa Congregazione constata che nel passato non era in uso chiedere né fatture né ricevute e, pertanto, una documentazione completa risulta irreperibile," ammette Amato in una missiva a Versaldi.

Alla fine dell'inchiesta Bergoglio ha deciso di correre ai ripari. Ha chiesto che tutti i postulatori siano soggetti a un tariffario unico di riferimento sia per la fase diocesana (elaborata dallo stesso Collegio dei postulatori) sia per quella romana, in modo che ci sia "maggiore senso di sobrietà ed equità, e non vi siano sperequazioni tra le varie cause" come ha annunciato all'inizio del 2014 il prefetto Amato che Francesco ha finora lasciato al suo posto.

I critici, all'interno delle mura leonine, temono che il tariffario possa essere facilmente aggirato, e che la soluzione prevista non riuscirà a cambiare davvero il meccanismo perverso della fabbrica. Si vedrà. Per ora il principe dei postulatori dovrà essere più accorto alle parcelle, anche perché, come afferma Amato in una lettera privata a Versaldi, "si è ritenuto opportuno porre all'attenzione dell'avvocato Andrea Ambrosi l'imprescindibile esigenza di rivedere i suoi onorari, nonché i costi delle cause, alla luce di prossime disposizioni del dicastero, e di attenersi rigorosamente, in futuro, alle norme vigenti".

CONGREGAZIONE
DELLE CAUSE DEI SANTI

CR SS
14/7 3/10

Roma, 14 maggio 2014

Prot. N. VAR. 7485/14

Eminenza Reverendissima,

in riferimento alla Sua lettera N. 1145 del 3 aprile 2014, si trasmettono le copie dei giustificativi di spesa riguardanti i bilanci precedentemente inviati e contrassegnati con i numeri 219, 223 e 224, relativi alle Cause delle Serve di Dio Henriette Delille e Clelia Merloni e della Beata Paolína Mallinkrodt.

Come si evince dalla documentazione in allegato, vi è assenza di ricevute o fatture attestanti il lavoro svolto dal postulatore o dai traduttori e una parziale mancanza di corrispondenza tra le altre spese e il loro fatturato.

Questa Congregazione constata che nel passato non era in uso richiedere né ricevute né fatture e, pertanto, una documentazione completa risulta irreperibile.

Per il futuro si assicura che sarà sollecitudine di questo Dicastero provvedere alla verifica delle spese sostenute dal postulatore secondo le indicazioni del tariffario emanato dalla stessa Congregazione.

Colgo l'occasione per confermarmi con sensi di distinto ossequio

dell'Eminenza Vostra Rev.ma
dev.mo

Angelo Card. Amato, SDB
Prefetto

15 -V - 2014

(con allegati)

A Sua Eminenza Reverendissima
Il Sig. Card. Giuseppe VERSALDI
Presidente della Prefettura
per gli Affari Economici della Santa Sede
Città del Vaticano

Lettera del cardinale Amato al cardinale Versaldi che spiega la mancanza di fatture e ricevute negli archivi della Congregazione.

4.

I mercanti del tempio

> Non desidererai la casa del tuo prossimo. Non desidererai la moglie del tuo prossimo, né il suo schiavo né la sua schiava, né il suo bue né il suo asino, né alcuna cosa che appartenga al tuo prossimo.
>
> Esodo 20,17

C'è un cardinale che più degli altri incarna suo malgrado un ossimoro: quello tra il pauperismo che dovrebbe essere proprio dell'uomo di Chiesa e il lusso sfacciato di certa vita mondana. Il suo nome è Tarcisio Bertone. Il monsignore di Romano Canavese, diventato nel 2006 il braccio destro di Benedetto XVI, è finito nel tritacarne mediatico appena nominato segretario di Stato vaticano. In un primo tempo il prete che tifa per la Juventus e la Ferrari di Sebastian Vettel è stato criticato per la sua gestione autoritaria del potere, e per rapporti considerati troppo stretti con esponenti del berlusconismo. Poi è finito censurato a causa di intrighi e scandali finanziari: dalla cacciata del presidente dello Ior da lui stesso voluto Ettore Gotti Tedeschi, al prestito da 15 milioni che l'istituto ha concesso alla cattolicissima casa di produzione Lux Vide di proprietà dell'amico Ettore Bernabei, passando per il tentativo di costruire un grande polo sanitario vaticano fino agli affari – presunti – tra Ior e Banca Carige, non c'è stato momento in cui Bertone ha avuto un attimo di pace.

Arrivato Bergoglio, il braccio destro di Ratzinger è andato in pensione, ma è rimasto obiettivo principale e simbolo negativo di una Chiesa da riformare, ed è stato nuovamente massacrato per l'attico "da settecento metri quadrati con terrazzo panoramico," scrissero i giornali, in cui si è trasferito a dicembre del 2014. Un appartamento la cui grandezza e opulenza fu stigmatizzato da tutti i media del mondo, compreso il "Washington Post". Persino le sue vacanze in Valle d'Aosta a Les Combes e la cena per i suoi ottant'anni, che qualcuno raccontò "a base di tartufi d'Alba e vini pregiati", ha stuzzicato l'indignazione popolare. "Com'è possibile che un cardinale abbia il coraggio di fottersene di tutti? È una ricchezza schifosa. Dice che la casa l'ha pagata con i suoi soldi. Ma come con i suoi soldi? Non credo che un appartamento del genere costi mille euro," ha sintetizzato don Mazzi interpretando la riprovazione popolare. "Finché esisterà la Chiesa di Bertone non saremo mai sulla linea del Vangelo. La povertà è un presupposto per credere."

In realtà l'attico del monsignore è di proprietà del Vaticano: prima di esser dato in comodato d'uso a Bertone era appannaggio dell'ex capo della gendarmeria Camillo Cibin, e quando l'ex segretario di Stato non lo abiterà più sarà usato da altri prelati. È molto confortevole se rapportato ai settanta metri quadrati della casa nella residenza Santa Marta dove papa Francesco ha scelto di vivere e lavorare, ma – carte alla mano – non supera però i trecento metri quadrati. "Il terrazzo è a disposizione di tutti gli altri inquilini di palazzo San Carlo. E come può vedere le stanze sono molto meno grandi di quelle di altri palazzi del Vaticano," s'è difeso Bertone mostrando la sua magione al giornalista Andrea Purgatori. "Il papa è stato informato di tutto, anche del piccolo ufficio adibito a segreteria. La cena per il mio compleanno? Senza vini doc e senza tartufi, ma con un'ottima tartufata..."

Leggendo i documenti degli uffici del governatorato che disegnano le planimetrie diventa chiara l'origine della leggenda dei "settecento metri quadrati", e di perché i giornali abbiano raddoppiato la metratura del nuovo alloggio. Per realizzare l'attico sono state unite due case confinanti, quella di Cibin e quella abitata un tempo da monsignor Bruno Bertagna, morto a fine 2013. Ma tre grandi stanze ricavate dalla ristrutturazione sono state attaccate a un terzo appartamento limitrofo della palazzina dell'Arciprete (attaccata al palazzo San Carlo), dove vive monsignor Angelo Comastri, che ha così ampliato la sua – già grande – dimora. Altri cento-centocinquanta metri quadrati sono stati invece destinati all'imponente archivio dell'ex segretario di Stato, che divide casa con tre religiose che lo accudiscono.

Svelato l'arcano, resta il fatto che Bertone non si può certo lamentare. Ma camminando per la Città del Vaticano e sbirciando dentro le residenze dei vertici della curia balza agli occhi che gli appartamenti di gran pregio destinati ai prelati non sono l'eccezione, ma la regola. Quasi tutti hanno saloni doppi, stanze da letto, tre bagni, cappella privata, studio e ufficio. A parte il papa e altri fedelissimi di Bergoglio, come monsignor Alfred Xuereb e il segretario Fabián Pedacchio Leániz che hanno deciso di soggiornare in modesti monolocali, sono decine i porporati che riposano in dimore sontuose. Anche molto più grandi e lussuose di quella, ormai celebre, di Bertone.

Nella palazzina dell'Arciprete, per esempio, oltre a Comastri soggiorna anche il cardinale Giovanni Battista Re, che dispone di trecento e rotti metri quadrati e di un terrazzo (questo sì privato) con affaccio sulla Stazione vaticana, dove il prelato organizzava cene con l'amico Antonio Fazio, ex numero uno di Bankitalia e legionario di Cristo, e pezzi grossi, come Angelo Balducci e l'ex ministro Claudio Scajola. Pietro Parolin, neosegretario di Stato, secondo la propaganda che vuole il corso bergogliano iper-pauperista, ha vissuto per un po' di fianco al papa in un bilocale nel convitto, ma dopo due anni si è trasferito nel meraviglioso appartamento che fu di Bertone nel palazzo apostolico, la sede della segreteria decorata con affreschi della scuola di Raffaello e ornamenti in oro. Anche l'arcivescovo Carlo Maria Viganò, ex segretario generale del governatorato e dal 2011 nunzio apostolico negli Stati Uniti, ha una casa all'ultimo piano del palazzo dove è collocata la gendarmeria vaticana. Circa duecentocinquanta metri quadrati e sette stanze, che però sono di fatto disabitate: Viganò, nemico giurato di Bertone e noto per aver denunciato con lettere durissime finite sui giornali presunti scandali e corruzioni in Vaticano, è l'unico "ambasciatore" che è riuscito a mantenere le chiavi della sua magione anche dopo essere stato spedito all'estero. "Un privilegio inaccettabile che dura da ormai quattro anni," raccontano i prelati aventi diritto costretti a vivere fuori le mura, qualcuno persino a proprie spese. "Viganò sperava che Francesco lo richiamasse a Roma, ma così non è avvenuto. Ora George Pell sta cercando di togliergli 'la seconda casa', ma non sarà facile: il nunzio ricorda ai suoi amici che l'appartamento gli fu assegnato da Giovanni Paolo II con comunicazione personale, e che nessuno l'ha mai chiesto indietro, nemmeno Francesco".

Difficilmente dietro le sacre mura, tra palazzi rinascimentali e dimore ottocentesche, si trovano appartamenti umili e di bassa metratura. Pell, "ministro dell'Economia" di Francesco, vive nella torre San Giovanni in mezzo ai giardini vaticani in trecento metri quadrati circa, stessa metratura per i porporati Giuseppe Versaldi, Mauro Piacenza e Fernando Filoni, attuale prefetto di Propaganda Fide che abita in una casa sopra il Gianicolo. Il cardinale Francesco Marchisano è deceduto nel 2014 nel suo appartamento da circa seicento metri quadrati a San Callisto, una zona extraterritoriale del Vaticano a Trastevere, mentre monsignor Josef Clemens, storico segretario di Ratzinger quando quest'ultimo era prefetto della Congregazione per la dottrina della fede, usa un appartamento nel palazzo del Sant'Uffizio con annesso salone del Seicento affrescato, allo stesso piano di quello del cardinale Velasio De Paolis. Entrambi, naturalmente, godono di vista a cinque stelle sulla basilica di San Pietro.

"Gesù vuole che i suoi vescovi siano servi, non principi. Non si può capire il Vangelo senza la povertà," ripete nei sermoni papa Francesco. Chissà se ad Angelo Sodano, predecessore di Bertone, sono fischiate le orecchie. Per lasciare la Prima Loggia del palazzo apostolico l'ex segretario di Stato di Giovanni Paolo II ha chiesto e ottenuto mezzo piano del grande Collegio Etiopico, e per rifarlo completamente ci sono voluti mesi di lavori. Suo compagno di pianerottolo fu per otto anni, fino alla morte avvenuta nel 2014, l'amico cardinale americano Edmund.Casimir Szoka, anche lui fatto fuori dalla *nouvelle vague* di Benedetto XVI nel settembre del 2006. I maligni sostengono che i due appartamenti di lusso siano stati una sorta di buonuscita.

Il presidente emerito della Cei Camillo Ruini – come ha scritto Ignazio Ingrao – vive invece in viale Vaticano in un attico di cinquecento metri quadrati (divisi però tra residenza e ufficio), stessa metratura di cui può disporre José Saraiva Martins, prefetto emerito della Congregazione delle cause dei santi "con attico e super attico da cinquecento metri quadrati," chiosa il vaticanista di "Panorama", "con vista sulla basilica di San Pietro". I maxiappartamenti sono ex dimore di rappresentanza, con alcuni spazi destinati a due-tre suore che cucinano, servono e rassettano. L'affitto è gratuito ma i costi di gestione sono in carico alle porpore. Che però ricevono anche un "assegno cardinalizio", prima chiamato "piatto", che viaggia tra i 5 e i 6 mila euro al mese netti, cifra comprendente anche lo stipendio episcopale.

Una tenuta per monsignor Rambo

Domenico Calcagno ha molti interessi: la fede, la famiglia, gli amici. Ma sopra ogni altra cosa il presidente dell'Apsa, uno dei monsignori bertoniani che ha mantenuto enorme potere anche nella nuova era di papa Francesco, è appassionato della campagna e di armi da fuoco. Nato nel paesino di Parodi Ligure nel 1943, una carriera fulminante grazie anche ai buoni uffici del cardinale Giuseppe Siri che lo ordinerà presbitero, Calcagno decide di prendere la licenza per porto d'armi per uso sportivo nel 2004, dopo che s'era iscritto al tiro a segno nazionale qualche mese prima. Monsignor Rambo, così lo chiamano a Savona. Da quando un giornalista, Mario Molinari, svelò che il prelato ha dato fondo ai suoi risparmi per comprarsi un fucile Breda calibro .12, un moschetto Schmidt Rubin, un fucile Remington americano, un altro russo marca Mosin-Nagant e una carabina calibro .12 Hatsan di fabbricazione turca. "Per uso sportivo e per collezione." Calcagno conserva con sé anche un fucile Beretta, una doppietta da caccia "Fusil special" prodotta in Belgio, altri due fucili a due canne e, infine, una sputafuoco Smith&Wesson, potente revolver calibro .357 chiamata anche "Distinguished Combat Magnum", attrezzo che l'ispettore Callaghan avrebbe certamente apprezzato. Calcagno ha dichiarato "di custodirle nella propria abitazione in armadio chiuso a chiave".

Nel 2007 Calcagno si trasferisce a Roma dopo che Benedetto XVI lo promuove segretario dell'Apsa, e non sappiamo se nel trasloco abbia portato con sé la sua santabarbara. Di certo la polvere da sparo e la vita di campagna dentro le mura leonine gli mancano assai. Così, scoperto che l'ente di cui è stato segretario e che presiede dal 2011 possiede terreni agricoli tra i più belli della Capitale, ha deciso di non lasciarsi intrappolare nell'appartamento che gli hanno assegnato in Vaticano, e di farsi anche un buen retiro con appartamento e cascina immersi in una ventina di ettari all'interno della tenuta San Giuseppe sulla Laurentina.

Cultore di matematica e finanza (Siri capì le sue abilità già giovanissimo, quando il suo allievo riuscì a ristrutturare grazie a finanziamenti privati l'oratorio genovese di Sant'Erasmo a Genova) Calcagno è uno dei pochi cardinali esperti di numeri: nominato nel

1996 presidente del ricco Istituto centrale per il sostentamento del clero, l'organismo della Cei, dal 2011 gestisce in prima persona i miliardi e le proprietà dell'Apsa. Tra queste ci sono anche due tenute romane, situate all'interno del grande raccordo anulare, che sono da anni al centro di enormi interessi immobiliari. La prima si chiama tenuta dell'Acquafredda, ed era inizialmente estesa per ben 117 ettari (tra via Aurelia e via dei Casali di Acquafredda) con undici immobili e decine di fabbricati immersi in uno dei pochi pezzi di agro romano sopravvissuto all'interno della città. Un'enorme proprietà di grandissimo valore che il Capitolo di San Pietro, l'ente che gestisce i beni della basilica, ha avuto in eredità da una facoltosa famiglia romana.

Qualche anno fa, però, parte importante della tenuta ha cambiato proprietario: prima il Capitolo, alla maniera di un giroconto, ne ha donato una parte all'Apsa. Poi la Santa Sede, dopo aver verificato che la trasformazione del terreno agricolo in suolo edificatorio era praticamente impossibile (già nel 2004, ai tempi di Walter Veltroni, un protocollo d'intesa per rendere edificabili una ventina di ettari della tenuta era stato bloccato dalle proteste degli ambientalisti), ha deciso di girare oltre la metà della terra, ossia sessanta ettari, al Comune di Roma, che oggi vi ha realizzato una riserva naturale protetta.

Non è stato, però, un gentile omaggio del Vaticano alla città che lo ospita: come in una permuta, l'Apsa ha ottenuto in cambio dal Comune futuri diritti edificatori per 65.625 metri quadrati complessivi, pari a 210.000 metri cubi. Il documento più recente dell'affare tra Roma Capitale e Apsa è datato 30 gennaio 2013, e mette i puntini sulle "i" alla delibera dell'estate del 2011, voluto dalla giunta di Gianni Alemanno ma votato in blocco da tutti gli altri partiti: "Le parti come sopra costituite convengono come successivamente e con specifici provvedimenti, detti diritti edificatori saranno localizzati in uno o più ambiti di 'atterraggio' all'interno del territorio di Roma Capitale," si legge nel documento. Traducendo, il Vaticano ha il diritto di costruire a Roma un migliaio di nuovi appartamenti di piccole e medie dimensioni. Per la cronaca, secondo il Vaticano, a leggere una missiva del giugno 2009 dell'allora segretario Apsa Calcagno a Bertone, "la stima del valore del piano urbanistico è di circa 70 milioni di euro".

Quando e dove, però, non si sa ancora: lo decideranno insieme l'Apsa e i tecnici del Comune in un futuro prossimo venturo. Ma esiste una lettera del 24 febbraio del 2009 che l'allora capo dell'Apsa monsignor Attilio Nicora inviò all'ex segretario di Stato Tarcisio Bertone che dà qualche indizio: dal Comune, infatti, l'edificabilità "che era stata prospettata per l'Acquafredda verrebbe assegnata dal comune alla Laurentina... L'area dell'Acquafredda restante in capo alla Santa Sede (circa quarantotto ettari) potrebbe in parte essere attrezzata ad area agricola produttiva, in parte – soprattutto nella zona prospiciente la via Aurelia – mantenuta nella condizione attuale con la non infondata speranza – assicurano i nostri tecnici di fiducia – che tra qualche anno le esigenze di espansione cittadina portino a rivedere gli attuali confini del parco e a rendere edificabile la zona stessa". Oggi è invece Calcagno a occuparsi della faccenda dell'Acquafredda: con un chirografo papa Francesco gli ha accordato pieni poteri su quello che resta della proprietà vaticana.

L'Apsa possiede anche un altro latifondo, quello intitolato a San Giuseppe. Situato sulla via Laurentina, si tratta di ventidue ettari con piantagioni e cinquecento di alberi di ulivo immediatamente fuori il raccordo, un bene che il Vaticano ha ricevuto nel 1975 come lascito della famiglia Mollari. Dopo anni di incuria, nel 2002 Angelo Proietti, l'imprenditore e costruttore amico dei cardinali di cui abbiamo già parlato riuscì a ottenere a titolo gratuito capannoni, abitazioni e magazzini della tenuta per la sua ditta Edil Ars, finché nel 2006 fu mandato via perché, scrive in un'altra lettera Nicora a Bertone ,"rivelatasi controparte inaffidabile". Da allora, invece di affittare il possedimento a terzi per renderlo profittevole, dopo un tentativo andato a vuoto di creare addirittura un impianto fotovoltaico da due milioni di euro e dopo aver deciso di non venderlo per evitare di perderci soldi, nel 2011 il neopresidente dell'Apsa Calcagno ha deciso di trasformarlo in una sorta di seconda casa. Dove potersi riposare, coltivare piantine e rilassarsi con gli amici.

Per realizzare il suo sogno agreste il cardinale ha stipulato a settembre 2011 una scrittura privata con una nuova società agricola, la San Giuseppe. Una ditta costituita solo due mesi prima, il cui socio e amministratore delegato è Giuseppe Calcagno, genovese, sposato con una sua omonima, Maria Angela Calcagno, nata nello stesso paesino di cui è originario il monsignore. In un primo momento un altro socio della fortunata società che prende gratuitamente in gestione la bellezza di ventidue ettari e fabbricati annessi era Alberto Mattace, un agronomo dipendente del dicastero Propaganda Fide che fu cooptato nel progetto. Di fatto, però, chi comanda è il Calcagno con la porpora, che in pochi anni si costruisce il suo angolo di paradiso.

Nel 2013, però, qualcuno si accorge che Calcagno passa gran parte del suo tempo fuori le mura tra arnie e orticelli. Così la prefettura degli Affari economici, che Oltretevere funge da Corte dei Conti, spedisce una lettera in cui si chiede al cardinale di descrivere nei dettagli l'iter che ha portato l'Apsa a cedere l'uso della tenuta, e di spiegare quali sono i rapporti tra il monsignore e i soci della San Giuseppe. La risposta del presidente è in una lettera datata 29 maggio 2013: Calcagno si giustifica precisando che dopo vari tentativi con altre ditte che utilizzavano "la nostra tenuta in modo improprio", e "avendo constatato che l'iscrizione diretta alla Confagricoltura e la conservazione della partita Iva comportava difficoltà all'Apsa e la esponeva in *prima facie*, si decise di accompagnare la costituzione di una società terza", che ha in comodato non solo la San Giuseppe ma anche l'Aquafredda. "Rapporti familiari tra me e Giuseppe Calcagno? Dalle notizie ricavate dalle lapidi del cimitero di Tramontana non è possibile risalire al punto di contatto genealogico con l'eventuale capostipite comune... La ricerca è improba perché a partire dalla fine del Cinquecento la stragrande maggioranza degli abitanti di Tramontana era classificata come Calcaneus de Calcaneis." Il monsignore evita di ricordare che il probabile e lontano parente è sposato con una sua cugina, e che inoltre non aveva mai lavorato in agricoltura. Scopriamo dalle visure della Camera di Commercio che Giuseppe Calcagno era invece stato assunto in una società (l'Immobiliare Aurelia) controllata al cento per cento dall'Istituto centrale per il sostentamento del clero, di cui il presule Calcagno è stato presidente.

Oggi, mentre gli agronomi lavorano, il cardinale si diletta facendo l'apicultore e coltivando piantine aromatiche. "A scuola mi piaceva la matematica," ha spiegato anni fa in un'intervista alla "Stampa". "Dopo la morte prematura di mio padre, mia madre mi consegnava in gestione il denaro che riusciva a racimolare." Il destino era già segnato.

Il moralizzatore spendaccione

Francesco dal suo braccio destro proprio non se l'aspettava. A gennaio del 2015 qualcuno ha infatti inviato al papa tutte le voci di spesa della neonata segreteria per l'Economia, che Bergoglio aveva affidato qualche mese prima a George Pell, il cardinale chiamato dall'Australia per raddrizzare usi e abitudini nefaste della curia che ha spadroneggiato durante l'era di Benedetto XVI. Bergoglio ha inforcato gli occhiali, ha scorso la lista, una ventina di pagine fitte di numeri e fatture, e raggiunta l'ultima pagina ha scosso la testa sconsolato: il suo protetto aveva investito centinaia di migliaia di euro per voli in business class, vestiti su misura, mobili di pregio, perfino per un sottolavello da 4600 euro.

Un elenco di spese pazze che ha raggiunto per appena sei mesi di attività del nuovo dicastero un totale di oltre mezzo milione di euro. Il prelato venuto da Melbourne per mettere a posto i conti del Vaticano, però, non ha battuto ciglio di fronte ai mugugni. E a chi lo criticava ha risposto secco di fidarsi di lui, di aver comprato solo quello che serviva per il suo lavoro. Eppure le carte parlano chiaro, e Oltretevere sono in tanti a essere rimasti di stucco davanti alle uscite del centro di costo del ministero (numero D70000) nato con l'obiettivo dichiarato di moralizzare il corrotto clero di Roma. Da luglio 2014 a gennaio 2015 gli esborsi hanno infatti toccato i 501 mila euro, tra computer, stampati interni, stipendi *monstre* per amici degli amici, vestiti messi in conto al Vaticano, affitti, biglietti aerei, arredi di lusso e tappezzeria su misura.

Non male, per un ente che non era ancora operativo (gli statuti sono stati approvati solo il 22 febbraio 2015) e per un ufficio dove lavoravano appena tre persone. Per fare un confronto, il neo consiglio per l'Economia ha speso nello stesso periodo 95 mila euro, meno di un quinto, nonostante sia composto da ben 15 membri. Le cifre che questo libro pubblica in originale sono un paradosso per chi, come Pell, in un rapporto interno sulle "Politiche di Financial Management" ha invitato gli altri cardinali a capo di ministeri vaticani a "rafforzare il processo di pianificazione affinché le risorse economiche siano destinate alla missione della Chiesa secondo criteri di efficienza, efficacia e una gestione saggia e ragionevole delle risorse".

Il primo atto di George è stato quello di assumere il suo economo personale, Danny Casey, con un appannaggio da 15 mila euro al mese. Esentasse, naturalmente. Il monsignore per il suo commercialista di fiducia vuole il meglio. Così la segreteria gli ha pure affittato una casa da 2900 euro al mese a via dei Coro-

UFFICIO CONTABILITA'

Riepilogo Voci di Spesa per Centro di Costo

Parametri: 20140101-20141231/D70000   -D70000 /   -999999999999

Centro di Costo: D70000   SEGRETERIA PER L'ECONOMIA

P	V. di Spesa	Descrizione	DARE	AVERE	SALDO
A	60010100010	RETRIBUZIONI RL/ORDINARIO	96.985,91	0,00	96.985,91
A	60010100020	BIENNI	10.095,90	0,00	10.095,90
A	60010100040	LAVORO STRAORDINARIO	1.635,38	0,00	1.635,38
A	60010100050	MENSA DI SERVIZIO	3.400,91	257,19	3.143,72
A	60010100090	INDENNITA' VARIE	14.888,71	0,00	14.888,71
A	60010100135	CONTRIBUTO F.DO PENSIONI	21.416,40	0,00	21.416,40
A	60010100140	POLIZZE ASS.NE DIPENDENTI	93,26	0,00	93,26
A	60010100145	ACCANTONAM. LIQUIDAZIONE	13.195,60	1.525,93	11.669,67
E	60010300010	CONTRIBUTO FAS	7.097,81	2.038,14	5.059,67
E	60010300015	COMPENSI ART.10	9.747,80	6.580,00	3.167,80
E	60010300040	COMPENSI ART.11	147.439,69	6.580,00	140.859,69
E	60010300061	MENSA DI SERVIZIO	1.121,51	683,04	551,53-
E	60010300075	CONTRIBUTO FAS	1.310,00	1.948,34	638,34-
N	61010200010	POSTALI	1.271,95	0,00	1.271,95
N	61010200030	TELEFONICHE E FAX	2.823,37	0,00	2.823,37
N	61010300010	CANCELLERIA ED ECONOMATO	6.079,50	0,00	6.079,50
N	61010300020	STAMPATI	12.223,00	0,00	12.223,00
N	61010400010	MACCHINE UFF.ACQUISTO	8.221,60	0,00	8.221,60
N	61010500020	MACCHINIO	214,45	0,00	214,45
N	61010600010	TRASFERTE FUORI SEDE	5.750,72	1.885,45	3.865,27
N	61010800010	CED - ACQUISTO	24.869,39	0,00	24.869,39
N	61010800030	CED - MATERIALE DI CONSUMO	2.205,91	0,00	2.205,91
N	61010900010	VIAGGI	11.478,42	0,00	11.478,42
N	61010900020	SOGGIORNI	4.653,54	0,00	4.653,54
N	61010900030	ACCESSORIE	2.461,96	0,00	2.461,96
N	61011400040	SPESE DIVERSE	93.299,85	0,00	93.299,85
P	61020100010	PULEE A	45,76	0,00	45,76
P	61020100020	MANUTENZIONE UFFICI	1.252,00	0,00	1.252,00
P	61020100040	TRASPORTI E LOCOMOZIONI	18.500,66	0,00	18.500,66
		Totale Centro di Costo:	522.780,96	21.498,09	501.282,87

Le spese della segreteria per l'Economia guidata dal cardinale George
Pell.

110

Dettaglio Voci di Spesa per Centro di Costo

Parametri: 20150101-20151231/D70000   -D70000   /   -999999999999

Centro di Costo: D70000   SEGRETERIA PER L'ECONOMIA

Data Reg	N.Reg. P	V. di Spesa	Descrizione	DARE	AVERE	SALDO
08/01/2015	010328782N	610109000010	VIAGGI	LORD PATTEN CHRISTOPHER BG AEREO LONDRA ROMA LOND RA DEL 25.1.2015 RS 509897 DIC. 700	1.133,58	0,00	
08/01/2015	010328783N	610109000010	VIAGGI	DR. YONGBOON GEORGE BG AEREO ROMA TAIPEI DEL 05.3.2015 RS 509898 DIC. 700	2.400,74	0,00	
08/01/2015	010328784N	610109000010	VIAGGI	DOTT. YONGBOON GEORGE BG AEREO ROMA HONG KONG R OMA DEL 28.1.2015 RS 509899 DIC. 700	2.769,37	0,00	
08/01/2015	010328785N	610109000010	VIAGGI	DOTT. YONGBONN GEORGE BG AEREO LONDRA ROMA DEL 25.1.2015 RS 509900 DIC. 700	884,60	0,00	
			Totale Voce di Spesa:	7.188,29	0,00	7.188,29
23/01/2015	010330134N	610114000010	SPESE DIVERSE	BIERRE FT.13A 20/01/2015 FORNITURA casey sottoclave llo prot.044625	4.600,00	0,00	
			Totale Voce di Spesa:	4.600,00	0,00	4.600,00
			Totale Centro di Costo:	59.660,88	711,74	58.949,14

UFFICIO CONTABILITA'

Dettaglio Voci di Spesa per Centro di Costo

Parametri: 20140101-20141231/D70000   -D70000   /   -9999999999999

Centro di Costo: D70000   SEGRETERIA PER L'ECONOMIA

Data Reg	N.Reg. P	V. di Spesa	Descrizione		DARE	AVERE	SALDO
31/07/2014	0103009440N	610114000010	SPESE DIVERSE	RIEBRE FT 106A/2014 DEL 31/07/14 arredi/opere per appartamento Danny Casey D700	36.970,00	0,00	
09/09/2014	0103145555N	610114000010	SPESE DIVERSE	NOTA SPESE UFFICIO STATO CIVILE ANAGRAFE E NOTARIA TO D700	78,00	0,00	
11/09/2014	0103147121N	610114000010	SPESE DIVERSE	RIEBRE SRL FT. 130A/2014	95,85	0,00	
30/09/2014	0103185731N	610114000010	SPESE DIVERSE	24/09/14 D700 FORNITURA A RREDI DOTT.DANNY CASEY	3.277,00	0,00	
20/10/2014	0103186607N	610114000010	SPESE DIVERSE	LILLI ROMOLO TAPPEZZERIA FT 18/14 DEL 10/10/2014 PROT.038832 D700 FORNITUR A ARREDI PER DANNY CASEY	3.632,00	0,00	
21/10/2014	0103118842N	610114000010	SPESE DIVERSE	G.eC.IMPIANTI TECNOLOGICI FT.630/14 DEL 21/08/14 PROT.037175	620,00	0,00	
04/11/2014	0103204335N	610114000010	SPESE DIVERSE	Palegnameria Fiorelli ft.	15,00	0,00	
04/11/2014	0103204335N	610114000010	SPESE DIVERSE	45 20/10/14 D700 Proc.039	30,00	0,00	
18/11/2014	0103223030N	610114000010	SPESE DIVERSE	631 per lavori su apparta	90,00	0,00	
09/12/2014	0103224262N	610114000010	SPESE DIVERSE	mento Danny Casey Via Cor ridori 48 INC.	400,00	0,00	
31/12/2014	0103272672N	610114000010	SPESE DIVERSE	BIERRE ARREDAMENTI FT 169 A/14 15/12/14 D700 PROT.0 42372	693,00	0,00	
30/12/2014	0103298906N	610114000010	SPESE DIVERSE	CONGREGAZIONE EVANGELIZZA ZIONE POPOLI RIMBORSO FAT TURE DITTA F.G.GLOBAL SER VICE N. 30 DEL 22.5.14 N.40 DEL 03.7.14 N.42 DEL 15.7.14 N. 64 DEL 13.10.14 PER LA VORI APP.TO VIA CONCILIAZ IONE 34 SCALA 5 INT. 4 DOTT. CASEY	33.550,00	0,00	

112

Dettaglio Voci di Spesa per Centro di Costo

Parametri: 20140101-20141231/D70000   -D70000   /   -9999999999999

Centro di Costo: D70000   SEGRETERIA PER L'ECONOMIA

Data Reg	N.Reg.	P	V. di Spesa	Descrizione		DARE	AVERE	SALDO
30/05/2014	010103071179N	610109000040	ACCESSORIE	NOTULA 95SR 03.07.14 DOMU S SANCTAE MARTHAE D700		408,00	0,00	
09/09/2014	010103145S3N	610109000040	ACCESSORIE	FT.14000004 24.07.14 DIR. SERV.ECONOMICI COFFEE BRE AK 14.04.14 D700		80,50	0,00	
10/09/2014	010103146S1N	610109000040	ACCESSORIE	FT.7.90123 31.07.14 SEREN ISSIMA RISTORAZIONE S.P.A D700		180,00	0,00	
31/10/2014	010103219S1N	610109000040	ACCESSORIE	FATT. 1199 DEL 30.9.2014 FOND.OPER.ANTONIANE IL CANTICO DIC. 700		630,00	0,00	
09/12/2014	010103242T1N	610109000040	ACCESSORIE	LA NUOVA BP SRL S.DO FT. 65A/2014 DEL 26/11/14		120,00	0,00	
11/12/2014	010103301S5N	610109000040	ACCESSORIE	NOTULA 1522R 11.12.14 DOM US SANCTAE MARTHAE D700		731,50	0,00	
				Totale Voce di Spesa:		2.461,96	0,00	2.461,96
31/03/2014	010103024S8N	610114000010	SPESE DIVERSE	FATRT.136 DEL 27.3.2014 GAMMARELLI ANNIBALE DIC. 700		1.254,50	0,00	
02/05/2014	010103040O7M	610114000010	SPESE DIVERSE	LA NUOVA BP ft 18A/14 02/05/14 D700 Sala Bologn a Catering		480,00	0,00	
30/06/2014	010103051A3N	610114000010	SPESE DIVERSE	FATT. 267 DEL 17.6.2014 GAMMARELLI ANNIBALE DIC. 700		768,00	0,00	
21/07/2014	010103094S7N	610114000010	SPESE DIVERSE	LILLI ROMOLO TAPPEZZERIA FT.15 del 21/07/14 D700 arredi/opere per casa del doct.Danny Casey	X	3.660,00	0,00	
14/07/2014	010103094S8N	610114000010	SPESE DIVERSE	FALEGNAMERIA FIORELLI FT 31 14/07/14 D700 ARREDI/O PERE PER CASA DI DANNY CA SEY		1.200,00	0,00	
22/07/2014	010103094S9N	610114000010	SPESE DIVERSE	BIERRE FT 94A/2014 DEL 22/07/14 arredi/opere per appartamento Danny Casey D700	X	6.000,00	0,00	

113

nari e ha pagato arredi di qualità per l'ufficio e per l'abitazione: le tabelle segnano alla voce "tappezzeria" 7292 euro, quasi 47 mila euro per "mobili e armadi" (tra cui il "sottolavello" da 4600 euro), oltre a lavoretti vari da 33 mila euro.

Spulciando i rendiconti di spesa si scopre che il cardinale (o uno dei suoi segretari) ha messo in nota spese anche gli acquisti fatti al negozio Gammarelli, sartoria storica che dal 1798 veste la curia della città eterna: in genere i porporati pagano di tasca loro tuniche e berretta, ma stavolta la segreteria ha fatturato direttamente abiti per 2508 euro.

Il nuovo boss del Vaticano non ha risparmiato nemmeno per i viaggi. Il "Ranger" per andare da Roma a Londra lo scorso 3 luglio ha speso 1103 euro. Un prezzo da business class. Quando vola, il cardinale al lusso non rinuncia mai: quattro giorni dopo si è fatto rimborsare dal suo ministero un volo Roma-Dresda, in Germania, da 1150 euro, un altro per Monaco da 1238, mentre lo scorso settembre la Scuola dell'Annunciazione del Devon, di cui l'ultraconservatore è diventato "patrono", ha dovuto sganciare per un Roma-Londra 1293 euro. Pell e Casey si accomodano in business anche quando devono partire per Malta, dove vanno ad ascoltare i consigli del finanziere Joseph Zahra. Ma sono tutti gli uomini vicini al cardinale a volare in business, da lord Christopher Patten (ex presidente della Bbc che dovrebbe riformare la comunicazione della Santa Sede) all'industriale di Singapore George Yeo, membro della Commissione per la riforma del Vaticano. Qualcuno, in segreteria, ha provato a fargli notare che in Vaticano "chi predica bene deve razzolare benissimo", pare senza successo.

Se lo zar che dovrebbe fare spending review ha speso più denari del previsto, contemporaneamente i risultati della sua azione tardano a manifestarsi. Le invidie dei colleghi sono tante, le resistenze pure, i tempi biblici della curia leggendari, mentre è innegabile che i capi dei vecchi dicasteri sono assai restii a mollare i loro tornaconti. Ma anche le gaffe dell'australiano pesano sullo stallo: il prelato non solo ha irritato le gerarchie quando ha parlato di presunti "tesoretti" nascosti fuori il bilancio della Santa Sede, ma resta un obiettivo facile per lo scandalo dei preti pedofili australiani.

"Su Pell, Bergoglio ha preso un granchio colossale", è il refrain ripetuto all'ombra delle sacre mura. "L'avevamo avvertito subito dell'inchiesta sulla pedofilia in Australia. Lui ha fatto di testa sua. Così, mentre da un lato il papa ha fatto arrestare l'ex nunzio polacco Józef Wesolowski accusato di pedofilia [poi deceduto a fine agosto del 2015] abbiamo Pell che paragona i preti maniaci ai camionisti che molestano le autostoppiste. È imbarazzante."

L'ex vescovo di Melbourne e di Sydney (che Bergoglio ha voluto prima dentro il C9 – il gruppo dei "magnifici" chiamati a consigliare il pontefice nel governo della Chiesa universale – poi come prefetto del nuovo superministero che gestirà tutte le finanze vaticane) nell'agosto del 2014 è stato interrogato dalla Commissione d'inchiesta creata dal governo di Canberra per indagare su migliaia di casi di abusi sessuali su bambini perpetrati da sacerdoti, ecclesiastici e altri soggetti come maestri di scuola e professionisti. Pell è infatti da tempo nel mirino dei giudici per alcune decisioni prese quando era arcivescovo, e per lo schema di risarcimenti da lui introdotto a partire dal 1996, il cosiddetto "Melbourne Response", che stabilì un protocollo con cui la diocesi doveva affrontare ogni caso di pedofilia gli si profilava davanti.

"In realtà si trattava di un sistema progettato per controllare le vittime, contenere gli abusi e proteggere la Chiesa," ha spiegato la ricercatrice e editorialista Judy Courtin, che insieme a molti altri osservatori considera le azioni di Pell volte – più che ad aiutare i sopravvissuti – a "minimizzare i reati, occultare la verità, manipolare, intimidire e sfruttare le vittime". Di certo uno studio di un avvocato australiano, Kieran Tapsell, dimostra che in media le famiglie che hanno accettato lo schema di Pell hanno avuto solo 33 mila dollari australiani (circa 22 mila euro), mentre coloro che hanno ottenuto giustizia attraverso i tribunali ordinari hanno intascato risarcimenti molto più alti, di circa 382 mila dollari.

Chiamato a rispondere del suo operato, Pell s'è giustificato paragonando i sacerdoti pedofili ad autotrasportatori e la Chiesa a un'azienda di tir: "Da un punto di vista legale non credo che una compagnia di trasporti possa essere considerata responsabile delle azioni dei suoi camionisti". Una frase che ha choccato le vittime presenti all'udienza e i giornali di mezzo mondo (tranne quelli italiani, che non hanno scritto una riga sulla vicenda), provocando un diluvio di polemiche.

Se le persone violentate da preti australiani hanno firmato lettere in cui parlano di "vergogna e oltraggio", Tapsell ha ipotizzato che il cardinale voglia solo proteggere i soldi della diocesi "nascosti in un trust che controlla immobili" da possibili risarcimenti milionari ordinati dai giudici.

Le prime controversie sulla figura di Pell risalgono a oltre dieci anni fa. Nel 2003, quando Giovanni Paolo II decise di promuoverlo con la porpora, furono molti a biasimare apertamente Wojtyla. Ultraconservatore, oratore schietto dotato di grande ironia, Pell qualche mese prima era stato infatti costretto ad autosospendersi dalla carica di arcivescovo dopo essere stato accusato di abusi sessuali su un ragazzino di dodici anni. Un'infamia da cui fu scagionato nel 2002 per mancanza di prove. Non solo. Se nel 2008 un'altra presunta vittima incolpò il cardinale di aver coperto un sacerdote maniaco (alcune lettere assai imbarazzanti firmate da Pell furono rcse pubbliche da un programma d'inchiesta della tv nazionale Abc), i progressisti ricordano che il presule ex campione di football australiano è stato portato in tribunale anche da un ex chierichetto, John Ellis. Nel 2007 i legali del cardinale furono costretti ad ammettere gli abusi compiuti da un prete poi deceduto, ma riuscirono a convincere la Corte d'Appello che "la Chiesa non esiste come entità legale". La causa è costata alla diocesi di Pell la bellezza di 750 mila dollari, ma la sentenza ha permesso alla Santa Sede di risparmiare milioni di dollari di risarcimenti.

Difficile battere uno come Pell. Furbo, intelligente e scaltro, è figlio di un barista di Ballarat, città di ottantamila anime a cento chilometri da Melbourne. Affabile con tutti (capacità appresa servendo alcolici dietro il bancone del pub di famiglia), riuscì da bambino a sopravvivere a un tumore al collo, appassionandosi negli anni al football australiano, al canottaggio e al pugilato. Iniziò a frequentare il seminario nel 1960, poi volò a Oxford dove ottenne un dottorato in Storia della Chiesa. Nel 1996 il grande salto, quando viene nominato – su volere della gerarchia vaticana che ne apprezzava l'intransigenza dottrinaria – vescovo di Melbourne. Dopo aver risanato i conti della diocesi grazie all'aiuto del suo economo di fiducia Danny Casey che ora ha voluto con sé a Roma, negli anni si fa notare anche per dichiarazioni sorprendenti: da quelle sui preti pedofili ("È colpa anche del celibato e della diffusione della pornografia") alle battute sull'Islam ("È una religione guerresca per natura"), fino alle aspre critiche rivolte al dimissionario Benedetto XVI. Ma sono le indagini della Commissione speciale a far finire il nome di Pell sui giornali anglosassoni: davanti ai giudici sono molte le vittime a tirarlo in ballo per i suoi modi spicci e intransigenti. Tra loro c'è Anthony Foster, padre di due bambine molestate da un prete (una si suicidò, l'altra è su una sedia a rotelle dopo un incidente causato dall'alcolismo) che definì a verbale Pell come un uomo con "una sociopatica mancanza di empatia".

Visto il clima, il ragazzo che nei sogni del padre doveva diventare un medico o un grande avvocato decide che è arrivato il momento di lasciare l'emisfero australe. Nel 2010 prova a trasferirsi a Roma per la prima volta, pregando Ratzinger di nominarlo prefetto della Congregazione per i vescovi. L'operazione non riesce. Arrivato Francesco, l'ex atleta gioca davanti al nuovo papa nuove carte, e si presenta come esperto di finanza in grado di mettere in ordine la babele vaticana: dopo gli scandali, il suo piano di rifondazione dello Ior e dell'Apsa convince Bergoglio, che lo nomina di fatto suo braccio destro.

Le ultime tegole cadute in testa a Pell risalgono all'inizio del 2015: il cardinale amante del buon vino quando era vescovo di Melbourne non avrebbe agito da buon cristiano, negando con forza le accuse delle vittime e offrendo risarcimenti ridicoli in sede civile. "Pell così facendo voleva scoraggiare altri potenziali querelanti dal citare in giudizio la Chiesa per abusi sessuali," si legge sul rapporto preliminare della Commissione nazionale d'inchiesta sulla pedofilia voluta dal governo australiano. "Il prelato mancò di agire equamente da un punto di vista cristiano. L'arcidiocesi preferì difendere il suo patrimonio piuttosto che dare giustizia e compassione." Ma Pell è stato attaccato anche da Peter Saunders, un laico irlandese abusato da ragazzo, che Francesco in persona ha voluto come membro della neonata Pontificia commissione per la tutela dei minori: "Personalmente penso che la posizione di Pell sia insostenibile, perché ora ha un catalogo di smentite. Ha ripetutamente denigrato le persone e ha agito con insensibilità, durezza di cuore, in modo quasi sociopatico". Anche un vescovo in pensione, Geoffrey Robinson, parlando ai giudici australiani a fine agosto 2015, ha spiegato non solo che in Australia gli abusi venivano coperti sistematicamente e che i preti sospettati erano trasferiti da una parrocchia all'altra, ma che Pell – ideando il Melbourne Response – aveva "distrutto" la possibilità di risposta unitaria della Chiesa nei confronti dello scandalo delle violenze sessuali nel paese. Per replicare alle dichiarazioni giurate di testimoni e vittime, Pell non è volato in Australia per rendere testimonianza giurata, ma ha mandato un comunicato stampa in cui nega di essere stato complice o di aver coperto sacerdoti pedofili. "I suicidi di tante vittime sono una tragedia enorme, i crimini commessi contro di loro da preti e fratelli sono profondamente malvagi e completamente ripugnanti per me."

È improbabile che Pell perda la poltrona di prefetto della segreteria per l'Economia. Ed è impossibile che possa essere inquisito dal tribunale vaticano, a cui recentemente Francesco ha dato nuovi poteri per perseguire i vescovi insabbiatori. Non solo perché a Roma nessuno ha mosso, nemmeno nei media, critiche formali a Pell, ma perché è stato Bergoglio in persona a promuoverlo prima tra i membri del cosiddetto C9 (il gruppo di cardinali che deve consigliare il papa nel governo della Chiesa universale) e poi prefetto del nuovo dicastero. Sarebbe difficile per la Chiesa fare marcia indietro dopo l'investitura: i contraccolpi, anche mediatici, rischierebbero di essere devastanti.

"Don 500 euro"

A Salerno, dove è nato e cresciuto, lo chiamano "Don 500 euro". A Roma, dov'è stato rinchiuso per qualche settimana nel carcere di Regina Coeli, i secondini lo chiamavano il "Paul Marcinkus de' noantri". Ma la battuta migliore su Nunzio Scarano, contabile dell'Apsa fino al 2013, monsignore di mestiere e faccendiere per hobby, l'ha fatta papa Francesco su un aereo di ritorno da un viaggio in Brasile: "Pensate che Scarano sia finito in galera perché somigliava alla beata Imelda?", ha ironizzato citando la bambina bolognese che nel Trecento morì in estasi dopo aver ricevuto l'eucarestia. "Avere un prete in prigione è uno scandalo. È una cosa che fa male."

Le disavventure di don Nunzio, il primo prelato di

curia a finire in una prigione italiana, oggi libero e sotto processo sia a Roma che nella sua Salerno, sono emblema della passione per il denaro che investe talvolta gli uomini timorati di Dio. Perfino i magistrati hanno notato i contraccolpi morali di storie come queste. "Ciò che è allarmante," ha scritto il giudice delle indagini preliminari di Salerno, Dolores Scarone, "è che illeciti di così grave portata e l'artificio e l'inganno che li sorreggono vengono perpetrati da un alto prelato del Vaticano, da un uomo di Chiesa il cui agire nella società è o dovrebbe essere, per insegnamento della stessa Chiesa di Roma, ispirato ai valori dell'onestà, della verità, dell'umiltà e della povertà."

Al contrario due procedimenti paralleli, centinaia di intercettazioni telefoniche e la rogatoria internazionale chiesta dai giudici leonini ai colleghi italiani (richiesta mai avvenuta prima nella storia giudiziaria tra Italia e Vaticano) disegnano il profilo di un affarista da Guinness, amante dei soldi e della bella vita, con frequentazioni imbarazzanti e una passione sfrenata per gli immobili. Non solo. Il sacerdote è stato capace di mediare con broker e 007 infedeli per riportare illegalmente in Italia 20 milioni di euro custoditi nelle banche svizzere (secondo gli investigatori si tratterebbe di soldi degli armatori campani Paolo e Cesare D'Amico) e di riciclare centinaia di migliaia di euro per estinguere un mutuo che pendeva sulla sua principesca casa nel centro di Salerno. Più che un prete, aggiunge il tribunale del riesame di Roma, don Nunzio è "un consumato delinquente", con una personalità caratterizzata da "spiccate attitudini criminali", uno "capace di gestire uomini, istituzioni e cose asservendoli al proprio tornaconto personale".

Ma come ha fatto un soggetto così, imputato (in attesa di giudizio, quindi innocente fino a prova contraria) per riciclaggio, corruzione, calunnia e truffa, a far carriera in Vaticano? Quand'è che Nunzio è diventato "Don 500 euro", saltando dall'acquisto di mobili di lusso, Mercedes e case da sogno alla nomina di cappellano di Sua Santità e contabile nell'Apsa, e arrivando a pochi passi dalla nomina di arcivescovo? Partiamo dal principio. Chi conosce Scarano da quand'era piccolo lo descrive come un ragazzo dalla natura ambiziosa ma dal carattere assai fragile. Nunzio nasce a Salerno nel 1952. La famiglia d'origine è umile e assai numerosa, e il ragazzo capisce presto che le case popolari non fanno per lui. "Così si diploma, prende una laurea, diventa assistente universitario e poi trova lavoro come impiegato alla Banca d'America e d'Italia," racconta il suo avvocato Silverio Sica.

A Scarano però quel lavoro dignitoso e ben pagato non basta. Vuole salire tutte le scale della piramide sociale. Vuole arrivare in cima e non fermarsi nel mezzo. Grazie ai rapporti eccellenti con una delle famiglie più ricche e potenti della città, quella degli armatori D'Amico, inizia così a frequentare il jet-set. Commercialisti, imprenditori, notai e avvocati di Salerno sono tutti amici suoi; frequenta i salotti migliori, i party più esclusivi. "Con i D'Amico io sono cresciuto fin dalla prima giovinezza," ha scritto Scarano in una lettera al papa in cui cercava di giustificare le sue azioni. A Salerno raccontano che sia stato proprio Antonio, fondatore della società di navigazione, a stringere rapporti con Nunzio quando quest'ultimo era appena adolescente. Scarano a trent'anni comincia ad avere buoni contatti anche con pezzi da novanta della curia salernitana, in primis con Renato Raffaele Martino, al tempo cardinale a capo del Pontificio consiglio della giustizia e della pace, oggi cardinale protodiacono di Santa Romana Chiesa e membro della fondazione Giovanni Paolo II. I due saranno per anni legatissimi.

Sarà per via dell'influenza di Martino o per una vocazione spontanea, Scarano, a trentacinque anni suonati, decide improvvisamente di cambiare vita, di lasciare il posto in banca e indossare la tunica. A metà degli anni ottanta si trasferisce a Roma per prendere i voti, e viene catturato dalla grande bellezza della Capitale. Dopo essere stato ordinato, Nunzio viene spedito a Eboli, nel difficile quartiere di Santa Cecilia. Le omelie e le benedizioni in provincia, però, dopo un po' cominciano a stargli strette: se Cristo si è fermato a Eboli, Scarano vuole tornare a Roma. Al più presto possibile. Sotto il cupolone ha seguito lezioni di teologia, ha conosciuto membri dell'aristocrazia papalina, ha vissuto nei maestosi palazzi vaticani. La dolce vita gli manca. Chiede così al vescovo Martino di dargli una mano e, grazie alle entrature dell'amico che da sempre apprezza le sue qualità di contabile, nel 1992 viene assunto all'Apsa. Scarano entra come addetto tecnico di prima categoria. Lo stipendio, seppur esentasse, non è granché: circa 2 mila euro al mese.

Da allora la cavalcata diventa impetuosa, e il senso degli affari sempre più spiccato. L'elenco dei beni sequestrati dalla Guardia di finanza durante l'inchiesta sul presunto riciclaggio è impressionante: 2,2 milioni di euro depositati a nome del prete su un conto allo Ior diviso in dieci sottoconti, altri 938 mila euro conservati su due conti dell'agenzia Unicredit vicino a piazza San Pietro, più un patrimonio immobiliare da mille e una notte. Era il lontano 1999 quando il monsignore nato nelle case popolari decide che è arrivato il momento di comprarsi un appartamento in centro a Salerno, accanto a quelli della ricca borghesia che frequenta a cocktail e cene. Sceglie così un alloggio a dieci metri dal duomo, un palazzetto di due piani e dieci stanze con soffitti alti cinque metri, di proprietà di un istituto vaticano, quello delle Suore piccole operaie dei sacri cuori. Scarano fa un affare d'oro: l'appartamento a via Romualdo II Guarna è "di importante interesse storico artistico" (tanto che il ministero dei Beni culturali aveva diritto di prelazione all'acquisto) e se lo porta via a soli 300 milioni di vecchie lire, 150 mila euro circa.

Il sacerdote, più che per i sermoni, sembra aver fede nel mattone. Nel luglio del 2006 spende altri 325 mila euro per una casa più piccola, sei mesi dopo prende un box auto in via Sant'Eremita, mentre nel

2010 investe 1,2 milioni di euro per allargare la sua abitazione, che arriva a raggiungere circa ottocento metri quadrati. Scarano non è ancora soddisfatto, e decide di investire in tre società immobiliari, business in cui si lancia insieme a parenti e cugini: l'obiettivo è quello di vendere e comprare dodici villette a Paestum, per poi investire nel Crescent, il grande albergo sul lungomare fortemente voluto dall'ex sindaco Vincenzo De Luca. Un progetto spuntato fuori dalle intercettazioni: nel giugno 2012 Scarano spiega all'amico di una vita, don Luigi Noli, che per far rientrare il denaro dei D'Amico (indagati a Roma per evasione fiscale) avrebbe beccato una commissione da 2,5 milioni di euro. "Per prendermi la casa di lì, purtroppo ci vogliono," spiega al telefono: "Ho detto due e mezzo perché uno se ne va per Paestum e un altro se ne va per là!". Anche don Noli, parroco di Palidoro, una frazione di Fiumicino, che si definiva "un'unica cosa" con Don 500 euro, è finito ai domiciliari, accusato di aver aiutato il compagno a riciclare i soldi degli armatori.

"Scarano è una persona inquietante, alto prelato e formale uomo di Chiesa del Vaticano eppure soggetto dedito alla vita mondana", si meraviglia ancora il gip di Salerno, stupefatta dalla scoperta che il prete distribuisse generi alimentari destinati alla carità ad amici e parenti ("pelati, olio e vino dateli a mammà," ordina Nunzio a un amico). Ma i giudici restano impressionati soprattutto dagli arredi che trovano nella casa principesca del monsignore: mobili di grande pregio, reliquie, posateria, monili in bronzo e pietra, sculture, colonne e dipinti, argenteria e tappeti orientali. I giornali nel 2013 e 2014 parlarono anche di pezzi di Chagall, Guttuso, De Chirico e di un crocifisso di Gian Lorenzo Bernini, ma il tenente colonnello Massimo Rossi del Gruppo tutela patrimonio archeologico della Finanza spiega che non è tutto oro quello che luccica: "Abbiamo fatto fare expertise ai migliori studiosi italiani, e in molti casi si tratta di riproduzioni o litografie". Complessivamente, tra investimenti, case e opere, comunque, il patrimonio finanziario di Don 500 euro tocca i 6,5 milioni di euro.

Com'è possibile che il parroco abbia messo sotto il materasso una somma tanto imponente, visto che tra il 2007 e il 2012 il reddito dichiarato oscillava tra i 6 e gli 8 mila euro l'anno (a cui va aggiunta una diaria da 30 mila euro l'anno netti bonificata dal Vaticano)? Il segreto del prete sarebbe forse ancora inviolato, se Nunzio non si fosse tradito da solo a causa della sua passione per l'arte.

Nel gennaio del 2013, dopo aver subìto il furto di alcune opere, Scarano andò trafelato dai carabinieri per denunciare il ladrocinio di quadri e preziosi, per un valore che lui stesso valutò "tra i 5 e i 6 milioni di euro". I militari ci misero poco a notare la sproporzione tra lo stipendio del pastore e le sue enormi disponibilità economiche. Carabinieri e Guardia di finanza cominciano a indagare non più solo sul furto, ma pure sulle origini del patrimonio, scoprendo di tutto. In primis, che "l'enorme provvista del prete deriva, per la quasi totalità, da provviste economiche fornite dagli armatori D'Amico". Studiando i conti correnti dello Ior, infatti, gli investigatori capiscono che Paolo, Cesare, Maurizio e Maria Cristina D'Amico fanno affluire denaro al sacerdote. In media arrivavano circa 100 mila euro al mese, sia attraverso bonifici personali sia attraverso società offshore come la Keats Trading e la Interbroker delle Isole Vergini Britanniche, e la Lennox Maritime e la Cherry Blossom, due società fantasma che "allo Stato sono risultate assolutamente sconosciute anche alle principali banche dati societarie a livello mondiale," spiegano i giudici nel 2014: "per cui non si ha notizia alcuna non solo in ordine alla loro struttura societaria, ma addirittura in ordine alla loro esistenza". Il sospetto è che i D'Amico, che in dieci anni hanno versato nei conti di Don 500 euro oltre 3,2 milioni, usassero il conto di Scarano non per opere di beneficenza, come hanno tentato di giustificarsi, ma per riciclare denaro frutto di evasione fiscale. Per la cronaca, quando arrivava un bonifico sospetto, Nunzio diceva al funzionario dello Ior incaricato che i soldi "arrivano da un mio cugino d'America". Tanto bastava per tranquillizzare il bancario e superare ogni controllo.

I finanzieri, in effetti, hanno scoperto non solo il tentativo (fallito) del prete di far rientrare dalla Svizzera 20 milioni di euro di proprietà degli imprenditori, ma anche il riciclaggio di 588 mila euro che il sacerdote prelevò in contanti dal solito conto e che usò per estinguere un mutuo ipotecario che una sua società aveva contratto due anni prima con Unicredit. Un prestito, ovviamente, stipulato per accaparrarsi altri spazi per ingrandire la sua reggia.

Scarano, secondo l'accusa, per ripulire il malloppo domandò aiuto a una cinquantina tra amici e conoscenti, tra cui baronesse, imprenditori caseari, parenti e commercianti di surgelati, oggi tutti indagati per concorso in riciclaggio. In cambio di 10 mila euro in contanti a testa, ognuno ha consegnato a Nunzio un assegno da 10 mila euro, ricevendo una certificazione di donazione. Una sorta di giroconto: le false "offerte" sono infatti arrivate allo Ior, sul conto gestito da Nunzio e intitolato "Fondo Anziani". Anche gli acquisti delle case sono considerati dall'accusa operazioni per lavare soldi sporchi.

Don 500 euro ora ha perso tutto. La sua trionfale scalata sociale è finita, e oggi, a sessantun anni, si ritrova alla base della piramide. I vecchi amici salernitani fanno finta di non conoscerlo ("Ho rotto con lui nel 2004, si fingeva mio nipote," ha detto l'arcivescovo Moretti), i conti allo Ior (dove Nunzio conosceva bene sia il direttore Cipriani sia il suo vice Tulli) sono stati congelati, l'Apsa lo ha sospeso dall'incarico. I nobili romani e i potenti che l'hanno aiutato e adulato gli hanno voltato le spalle. "Non ho mai riciclato denaro sporco, non ho mai rubato, ho cercato di aiutare chi chiedeva aiuto," ha spiegato al papa in una lettera dal carcere, in cui raccontava che i suoi risparmi allo Ior sarebbero serviti "a costruire un centro per malati terminali". Bergoglio non gli crede, e – a quanto sappiamo – non gli ha mai risposto. Intanto, i giudici della Seconda sezione penale del tribunale ad aprile 2015 gli hanno revocato i domiciliari, accogliendo la richiesta avanzata dalla difesa. L'unico obbligo che monsignor Scarano dovrà rispettare, in attesa dell'esito del processo, sarà quello di dimora nella sua Salerno.

Il lato oscuro dell'eroe

Se Scarano è l'emblema mediatico del sacerdote corrotto, Carlo Maria Viganò nella vulgata comune è un supereroe. Un monsignore senza macchia e senza paura, la porpora che nell'estate del 2011 ebbe il coraggio di sfidare lo strapotere di Tarcisio Bertone e di denunciare la corruzione dilagante tra le sacre mura, con gravi atti d'accusa contenuti in due lettere destinate al segretario di Stato e a Benedetto XVI e divenute pubbliche grazie ai corvi che ne diedero copia ai giornalisti tra la fine del 2011 e l'inizio del 2012. Insinuazioni circostanziate – le abbiamo pubblicate nel capitolo precedente – che ipotizzavano macchinazioni a suo danno, appalti gonfiati, fatture false e malversazioni di colleghi e nemici, che invece di lodi e plausi sono costate a Viganò un trasloco forzato negli Stati Uniti d'America, dove ancora oggi il monsignore è nunzio apostolico. Una poltrona prestigiosa in una sede importante, ma Viganò, allora segretario generale del governatorato, sperava che il suo lavoro fosse premiato con la nomina a governatore (al posto del cardinale Giovanni Lajolo), prodromo alla promozione a cardinale. Per convincere il papa a cambiare idea e bloccare il trasferimento comunicatogli da Bertone, così, il 7 luglio 2011 l'arcivescovo prende carta e penna, e scrive parole accorate a Benedetto XVI. "Beatissimo padre, ... in altre circostanze tale nomina sarebbe stata motivo di gioia e segno di grande stima e fiducia nei miei confronti ma, nel presente contesto, sarà percepita da tutti come un verdetto di condanna del mio operato e quindi come una punizione... Mi angustia poi il fatto che, dovendo purtroppo prendermi cura personalmente di un mio fratello sacerdote più anziano, rimasto gravemente offeso da un ictus che lo sta progressivamente debilitando anche mentalmente, io debba partire proprio ora, quando ormai intravedevo di poter risolvere in pochi mesi questo problema familiare che tanto mi preoccupa." La preghiera non fu accolta e qualche settimana dopo Viganò fu costretto a prendere un aereo sola andata per Washington. Per sostituire Lajolo, Ratzinger scelse monsignor Giuseppe Bertello, confermato governatore dello Stato della Città del Vaticano anche da Francesco.

Ora, come l'abito non fa il monaco, il moralizzatore solitario non è proprio quello che sembra. "Viganò ha un lato oscuro e un passato non limpido," ripetono gli uomini più vicini a Bergoglio che gli sconsigliano di richiamarlo nei sacri palazzi romani. Troppe, hanno spiegato al papa, le incongruenze nelle sue vecchie denunce, archiviate da una commissione speciale come false o indimostrabili. Inquietante, soprattutto, la clamorosa smentita del fratello di Viganò, Lorenzo, il gesuita disabile di cui il cardinale diceva di doversi occupare. "Mio fratello ha scritto il falso al papa," ha infatti spiegato l'anziano biblista in un'intervista sul "Corriere della Sera" nel marzo 2013, dove sottolineava di risiedere da decenni a Chicago e di aver interrotto ogni rapporto con il parente nel lontano 2009. "È vero, nel 1996 ho subìto un ictus, ma a distanza di poco tempo sono tornato indipendente. È un fatto certo che Carlo Maria non solo non si occupava di me 'personalmente', ma i nostri rapporti si erano già interrotti da tempo". A causa di litigi per l'eredità, sfociati in denunce penali e civili incrociate. "Dopo la morte di mio fratello Giorgio, che amministrava correttamente il patrimonio dei Viganò, ho scoperto che Carlo Maria aveva ceduto delle proprietà comuni e mi aveva lasciato le briciole. Gli spiccioli," ha chiosato don Lorenzo in un secondo colloquio al "Giornale". "Mio fratello mi ha derubato di diversi milioni di euro. Sfruttando una mia vecchia procura notarile ha fatto il bello e il cattivo tempo". Se il monsignore ha denunciato la sorella preferita di Lorenzo, Rosanna, per circonvenzione di incapace (un'accusa subito archiviata), Lorenzo lo ha controdenunciato per estorsione e appropriazione indebita (anche questa archiviata) e ha intentato una causa civile presso il tribunale di Milano, tuttora in corso. "Trovo gravissimo che Carlo Maria abbia scritto il falso al papa, strumentalizzandomi per fini personali: io non sono mai stato a Roma con lui, salvo che per tre mesi nel 1998." Il nunzio finora non ha mai replicato alle ricostruzioni del fratello. Né all'inchiesta che il vaticanista Ingrao ha pubblicato su "Panorama" nel marzo del 2014, dove venivano evidenziati nuovi e profondi dissidi tra Carlo Maria e la sorella Rosanna, sempre per questioni di vil denaro.

"Ma guai a voi, ricchi, perché avete già la vostra consolazione. Guai a voi che ora siete sazi, perché avrete fame. Guai a voi che ora ridete, perché sarete afflitti e piangerete," dice Gesù nel Vangelo di Luca. I soldi, per i Viganò, sembrano essere davvero una maledizione. Discendenti di una ricchissima famiglia di Varese che faceva affari con l'acciaio, gli otto fratelli decidono di far gestire il denaro *pro indiviso* prima a Giorgio, poi a Carlo Maria. Si tratta di decine di milioni di euro. Per i primi anni tutto sembra filare liscio, finché certe decisioni dell'arcivescovo insospettiscono alcuni parenti. Prima Lorenzo ("mio fratello voleva indurmi a fare testamento a favore di mio nipote monsignor Polvano. Altre volte voleva intestare tutto a una società perché, sosteneva, 'se divento cardinale non sta bene che si sappia che abbiamo tutti questi soldi'"), poi la sorella Rosanna, che nell'ottobre 2012 decide di querelarlo davanti ai magistrati della procura dei Grigioni, in Svizzera, si rivoltano contro il moralizzatore.

La storia è incredibile. Viganò nel corso degli anni avrebbe ricevuto dalla sorella circa 900 milioni di lire frutto dell'eredità paterna. Denaro con cui il prelato avrebbe comprato un appartamento nel paese di San Bernardino, pagato 430 mila franchi svizzeri. L'immobile fu intestato a Carlo Maria Viganò con il consenso della sorella: se da cittadino vaticano il monsignore non avrebbe pagato le tasse, dall'altro lato Rosanna avrebbe potuto nasconderlo al fisco italiano. Improvvisamente nel 2012, però, Viganò senza avvertire nessuno decide di vendere la casa, mantenendo per sé tutto il profitto. A quel punto, Rosanna e il suo avvocato Roberto Keller vanno dai magistrati e spifferano tutta la storia denunciando l'arcivescovo.

"Carlo Maria Viganò è diventato, circa nel 1973, segretario della nunziatura a Baghdad," spiega il 12 novembre 2013 Rosanna Viganò in un verbale. "Da quel momento egli era in possesso del passaporto diplomatico. In Italia erano i tempi delle Brigate rosse. Si era quindi deciso di trasferire i nostri capitali in Svizzera. Io ho dato, in presenza di mia madre, a Carlo Maria i miei soldi, che li ha messi in una cartella molto usata, per poi depositarli presso il Credit Suisse a Lugano sul conto rubrica 'Omnes'. Gli ho dato circa 500 milioni di lire. Poi gli ho dato due tranche successive di 200 milioni di lire ciascuna. In totale quindi circa 900 milioni di lire. Carlo Maria mi disse che i miei soldi sarebbero stati messi su una rubrica denominata 'Cioppì', nomignolo da lui dato a mia figlia. Le ricevute dei soldi rimanevano in banca come concordato con i fratelli. So che Carlo Maria ha pure versato dei soldi su un conto presso l'Ubs. Si tratta di soldi, o parte dei soldi, trasferiti dai nostri fratelli dal Banco Ambrosiano alla Banca del Gottardo."

L'avvocato Keller il 18 ottobre 2012 spiega con dovizia di particolari il sistema messo in atto dai Viganò per proteggere al meglio il loro patrimonio: "Carlo Maria Viganò ispirava dei trasferimenti di denaro all'estero e più precisamente in Svizzera. In questi termini egli agì da spallone, servendosi anche del passaporto diplomatico. Fu così che anche Rosanna Viganò gli affidò ingenti somme di denaro. L'attività di Carlo Maria Viganò nel trasferire ingentissime somme di denaro dall'Italia alla Svizzera era febbrile. In effetti, sfruttando il corriere diplomatico, Carlo Maria Viganò faceva confluire su appositi conti cifrati presso le banche Ubs e Credit Suisse di Lugano, cospicue somme. A Rosanna, Carlo Maria Viganò non fornì mai precise indicazioni su questi depositi 'calderoni', né sulla loro consistenza e nemmeno sulla loro chiara suddivisione". In una memoria difensiva del 31 luglio 2013 il nunzio degli Stati Uniti replica alle accuse, dicendo di aver venduto "beni immobili di sua esclusiva proprietà, in relazione ai quali Rosanna Viganò non ha mai avuto (e non poteva vantare) alcun diritto o pretesa".

È un fatto, però, che a febbraio 2014 lo scontro si conclude con una transazione: Carlo Maria ha versato 180 mila franchi svizzeri all'avvocato Keller, che li ha girati in beneficenza a un ospedale in Tanzania dove lavora come volontaria una delle figlie di Rosanna. La quale, contestualmente, ha ritirato la denuncia. La passione per le movimentazioni milionarie, per uno dei monsignori più ricchi del Vaticano, è stata al centro anche di uno degli ultimi scandali in cui è stato coinvolto lo Ior: nel 2010, infatti, dopo una segnalazione dell'Uif, l'Unità di informazione finanziaria della Banca d'Italia, la procura di Roma sequestrò preventivamente 23 milioni di euro che l'istituto vaticano aveva parcheggiato su un conto del Credito Valtellinese, una tappa prima della destinazione finale dei soldi, che dovevano finire in parte in una filiale tedesca della J.P. Morgan a Francoforte e in parte minore alla Banca del Fucino. Bankitalia aveva acceso un faro sulle operazioni, perché esse non sembravano rispettare il decreto legislativo del 2007, quello che impone obblighi di trasparenza e di adeguata verifica dei reali soggetti che compiono transazioni e bonifici. L'indagine fece scalpore, perché i pm indagarono per presunta violazione delle norme antiriciclaggio l'allora presidente dello Ior Gotti Tedeschi (del tutto scagionato a inizio 2014) e i dirigenti Paolo Cipriani e Massimo Tulli, il cui processo di primo grado mentre questo libro va in stampa non è ancora concluso. Nel novembre 2014 i 23 milioni sono stati sbloccati e sono tornati in Vaticano. Non solo grazie, come ha rivendicato il nuovo presidente dello Ior de Franssu, all'introduzione da parte della Santa Sede di "un solido sistema di prevenzione e contrasto al riciclaggio, riconosciuto dal Comitato Moneyval del Consiglio europeo". Ma anche perché lo Ior ha reso noti i clienti che facevano capo a quel conto: oltre alla Conferenza episcopale italiana, c'erano anche rimesse – per quasi 3,8 milioni di euro – di monsignor Viganò. Contattato mentre è impegnato a organizzare la visita di Francesco a Washington avvenuta a fine settembre 2015, il monsignore – che all'inizio del 2016 andrà in pensione – spiega di non aver mai voluto replicare alle accuse e di non aver mai parlato con i giornalisti. "Stavolta, però, voglio rispondere punto per punto."

La versione di Viganò

In primis, il prete parla delle liti milionarie con il fratello. "Durante tutta la vita con mio fratello abbiamo avuto tutto in comune, dalla vocazione sacerdotale ai beni materiali. Disgraziatamente nel 1996 ha avuto un grave ictus cerebrale che lo ha lasciato offeso da una emiparesi, in modo permanente, anche nella sua emotività e nella percezione psicologica dei rapporti con familiari e amici. Piano piano poi fortunatamente ha ripreso coraggio e ha voluto in quelle condizioni ritornare a Chicago." In sessant'anni, spiega, non c'è mai stata un'ombra tra loro. Fino alla fine del 2008, "quando improvvisamente vengo a sapere che Lorenzo, aiutato da Rosanna, è fuggito terrorizzato da casa tornando a Chicago; un gesto che ha poi spiegato con un'accusa sorprendente: urlò davanti a un magistrato che aveva paura di essere 'incatenato', affermando che io volevo sequestrarlo. Mia sorella, che gli era sempre stata molto vicina, ha sostenuto questa folle tesi davanti a molte altre persone. Ciò avvenne circa un anno e mezzo dopo che era entrato nella famiglia di mia sorella Rosanna un giovane avvocato, che poi ha sposato l'ultima delle sue figlie".

Secondo Viganò, lo scontro familiare si acuisce proprio a causa del legale, che "si fa rilasciare da Lorenzo una procura generale con cui si impossessa della gestione della parte dei beni di mio fratello, facendo nel contempo una causa per la separazione dei beni. Di fatto da quel fine 2008 Lorenzo è stato tenuto completamente isolato, io non ho più potuto parlare con lui, né ha mai risposto alle mie lettere e telefonate. Questi fatti incredibili parlano da sé e chiunque potrebbe trarne le conclusioni".

Viganò sostiene, in pratica, di essere stato costretto a intentare una causa "difensiva", quella sulla circonvenzione d'incapace, anche perché, dice, nel suo appartamento erano spariti documenti che comprovavano le spese di Lorenzo. "È vero, la causa fu archiviata per un errore di forma di chi l'aveva presentata. Ma le indagini dei carabinieri dimostrarono come dai conti allora indivisi miei e di mio fratello fu prelevato circa un milione di euro. Soldi che Lorenzo, in quelle condizioni psichiche di cui le dicevo, ha dato a mia sorella. Con quel denaro è stata comprata una farmacia alla figlia di Rosanna, che si è sposata con quel giovane avvocato, figlio a sua volta del titolare dello studio legale che mi sta addosso da anni. Come vede, ci sono degli interessi privati enormi in ballo, non capisco perché la giustizia italiana non voglia vedere l'evidenza. Su di me e sui miei rapporti con i miei fratelli Lorenzo e Rosanna in questi anni sono state pubblicate tante notizie frutto di attacchi di parte, a cui ho sempre preferito non rispondere, perché nonostante tutto sento per loro grande affetto e considero che solo in parte sono responsabili delle loro azioni e dichiarazioni."

Nonostante abbia pagato la sorella per chiudere la contesa, Viganò si dice innocente anche sulla vicenda della casa in Svizzera, definita "assurda". Spiega che lui e Lorenzo a San Bernardino erano proprietari di un appartamento a testa, e che "il mio l'ho lasciato in uso a mia sorella per anni. Quella casa era solo mia, di suo c'erano solo i mobili di cui è stata ampiamente compensata. Ho accettato la transazione, in primis, per pacificare almeno un fronte, e poi perché i soldi della transazione andavano in beneficenza a un ospedale in Tanzania che io avevo visitato, dove opera come missionaria laica una mia nipote. Purtroppo mia sorella non ha rispettato la parola data davanti al giudice svizzero e a transazione avvenuta ha continuato a calunniarmi mezzo stampa. Io monsignore e spallone? A quei tempi ero in Iraq! Si immagini se avevo tempo e modo di fare queste operazioni in Svizzera. Sono accuse gratuite e infamanti, costruite per denigrare la mia persona".

I 3,8 milioni sul suo conto trasferiti dal Credito Valtellinese allo Ior, infine, sostiene siano andati in beneficenza. Al telefono il monsignore dice di averli girati per la costruzione di un monastero in Burundi, senza specificare la cifra donata. Dopo qualche giorno, però, in un'altra email precisa che con le sue regalie sarebbero state realizzate molte altre opere. "Mio fratello Lorenzo e io volevamo che i beni che avevamo in comune fossero destinati per opere di religione e di carità. Di fatto così è avvenuto. È per questo che la somma fu trasferita allo Ior. Quei denari sono serviti per la costruzione di un monastero in Burundi per le suore carmelitane, nella città di Gitega; per il seminario Saint Charles Borromeo nella diocesi di Kafanchan nel Nord della Nigeria, per un noviziato in Vietnam per le Travailleuses missionnaires de l'Immaculée. Per ognuna di queste opere, può chiedere ai responsabili se è vero o no che ho fatto beneficenza."

Se in effetti un sacerdote ci conferma che Viganò ha speso per la struttura in Burundi "sicuramente più di un milione di euro", di cifre e bonifici specifici il monsignore non parla, e non tutti sono convinti che sui suoi conti allo Ior non ci siano più i denari di famiglia. Anzi: gli avvocati di Lorenzo hanno chiesto alla procura di Roma tutte le carte dell'inchiesta sui 23 milioni da poco dissequestrati. Per capire se l'eredità del biblista è stata nascosta Oltretevere oppure no.

5.

Sua Sanità

Non è possibile che un monaco, qualora, per aver ceduto al desiderio di un po'
di denaro, abbia una volta accolto nel
proprio animo quel primo germe, non
si senta preso assai presto dalla fiamma
di un desiderio anche maggiore.

SAN GIOVANNI CASSIANO, INSTITUTIONES
COENOBITICAE

La finanza vaticana funziona esattamente come
una merchant bank e fa affari – da sempre – diversifi-
cando i suoi interessi. I core business principali sono
il mattone e gli investimenti finanziari in giro per il
mondo, ma una posizione dominante ce l'ha pure l'industria della sanità: da decenni una delle attività più
redditizie della Santa Sede. Al netto delle decine di
case di cura e cliniche delle congregazioni e delle diocesi, il palazzo apostolico oggi controlla direttamente
o indirettamente quattro grandi ospedali, tre a Roma
e uno in Puglia: il Bambin Gesù, l'Istituto dermopatico dell'Immacolata (Idi), il Gemelli e la Casa sollievo
della sofferenza a San Giovanni Rotondo.
Finora dei quattro nosocomi non si conoscevano
ricchezze e patrimoni. Né, a parte l'Idi, le strutture vaticane sono mai finite dentro scandali che ne hanno
minato il buon nome. Al tempo di papa Benedetto XVI
i policlinici di Dio balzarono in prima pagina perché
protagonisti del sogno del cardinal Tarcisio Bertone,
che desiderava dar vita, d'accordo con il suo amico e
manager Giuseppe Profiti, a un unico polo sanitario
vaticano. Un'ipotesi che nacque contestualmente al
fallimento della fondazione Monte Tabor che control-

lava il San Raffaele di Milano, il grande ospedale lombardo fondato da don Luigi Verzé nel 1958 finito quasi sessant'anni dopo sull'orlo del dissesto a causa di operazioni truffaldine compiute su appalti e spese pazze effettuate da don Verzé e dai suoi stretti collaboratori tra il 2005 e il 2011.

Secondo quanto emerso dai processi (alcuni dei quali ancora in corso) il prete e alcuni amministratori di sua fiducia avrebbero rubato e dissipato una cinquantina di milioni in fondi neri, jet privati (il fondatore del San Raffaele non amava perdere tempo al check-in come i comuni mortali), investimenti immobiliari sballati, fazende brasiliane, ville con piscina e spese di gestione dissennate, tra cui quella per l'enorme voliera piena di pappagallini che arredava gli uffici di don Verzé, il prete amico di Silvio Berlusconi che amava vestirsi in grisaglia morto l'ultimo giorno del 2011.

Prima che l'ospedale fosse acquistato dal gruppo San Donato dell'imprenditore Giuseppe Rotelli per 405 milioni di euro, anche il Vaticano aveva provato a entrare a piedi uniti nella partita. Il salvataggio sarebbe dovuto essere il primo tassello di un'operazione più ardita, che comprendeva la nascita dell'enorme polo sanitario cattolico. L'operazione targata Bertone-Profiti alla fine saltò, anche perché considerata impraticabile dal punto di vista finanziario dall'allora presidente dello Ior Gotti Tedeschi.

Ma le guerre per mettere le mani sugli ospedali del papa (anche il Gemelli, di proprietà di una fondazione milanese, è legatissimo per statuto alla curia romana) non hanno mai visto un vero armistizio nemmeno con l'arrivo di Francesco: gli interessi economici sono enormi, gli affari in ballo ragguardevoli, e gli scandali da raccontare grazie alle carte dei revisori mandati dal Vaticano al Bambin Gesù e alla Casa sollievo della sofferenza inaugurata da Padre Pio davvero esplosivi.

Lavori a casa Bertone

Partiamo dal Bambin Gesù. O meglio da una fondazione controllata, nata nel 2008 per raccogliere denaro per i piccoli pazienti. Gli investigatori della società di revisione PricewaterhouseCoopers (PwC) nella bozza del rapporto consegnata al Vaticano il 21 marzo 2014 dedicano alla onlus italiana con sede in Vaticano alcuni passaggi della loro *due diligence*, segnalando con il "semaforo rosso" la necessità di interventi immediati per stranezze contabili e organizzative. E per spese quantomeno particolari.

Nel focus si evidenziano, per esempio, i compensi (in tutto 145 mila euro l'anno) del segretario generale e del tesoriere, al tempo rispettivamente Marco Simeon, uomo vicinissimo a Bertone ed ex capo delle relazioni istituzionali della Rai, e Massimo Spina. E soprattutto l'affitto di un elicottero, nel febbraio 2012, per la bellezza di 23 mila e 800 euro. Pagati sull'unghia dalla fondazione Bambin Gesù "a una società di charter per trasportare monsignor Bertone dal Vaticano alla Basilicata per alcune attività di marketing svolte per conto dell'ospedale". In realtà il 24 febbraio 2012 si inaugurava al Sud un reparto pediatrico del Bambin Gesù all'interno dell'ospedale pubblico San Carlo di Potenza: invece di risparmiare denaro destinato alla ricerca medica e ai bambini malati viaggiando in auto (il Vaticano ne ha tante, come abbiamo visto) o in treno, Profiti decide di far volare il cardinale a carissimo prezzo. "Strutture come queste sono importanti, perché limitano le sofferenze dei più piccoli e dei genitori che devono spostarsi da ogni luogo d'Italia," spiegò quel giorno l'eminenza alla folla plaudente, prima di rinfilarsi sull'elicottero e tornare in Vaticano.

Ma c'è un'altra spesa della fondazione non pubblicata sul rapporto PwC che rischia di imbarazzare il papa e il Vaticano. Quella che riguarda il pagamento dei lavori della nuova casa di Bertone a palazzo San

Carlo. Proprio così. La fondazione, definita da PwC come "un veicolo per la raccolta di fondi volti a sostenere l'assistenza, la ricerca e le attività umanitarie del Bambin Gesù" ha saldato le fatture dei lavori per un totale di circa 200 mila euro, pagati all'azienda Castelli Real Estate dell'imprenditore Gianantonio Bandera. Un amico personale del cardinale e pure ex membro del Magistrato di Misericordia, un'opera pia fondata nel Quattrocento che amministra lasciti immobiliari e presieduta per statuto dall'arcivescovo di Genova, incarico occupato dallo stesso Bertone dal 2002 al 2006.

Ma è davvero possibile che i soldi della fondazione Bambin Gesù siano stati usati per ristrutturare il nuovo appartamento del cardinale? L'ex segretario di Stato non smentisce e non conferma. "Gentile dottor Fittipaldi, alle sue domande," precisa in una email Bertone, "rispondo che, prescindendo dal fatto che l'appartamento di mia residenza è di proprietà del governatorato dello Stato della Città del Vaticano, il sottoscritto ha versato al medesimo governatorato la somma richiesta come mio contributo ai lavori di ristrutturazione. Non ho nulla a che vedere con altre vicende."

Profiti, fino al 2015 presidente sia del Bambin Gesù che del consiglio direttivo dell'omonima fondazione (composto al tempo anche dal banchiere Cesare Geronzi, dal Gentiluomo di Sua Santità Emilio Acerna e dal cavalier Piero Melazzini), conferma invece la spesa autorizzata a favore dell'appartamento di Bertone, già finito nella bufera per la sua ampia metratura. La parcella, spiega Profiti, sarebbe stata giustificata dal fatto che la casa del cardinale sarebbe stata poi messa a disposizione della fondazione stessa, per organizzare eventuali incontri con aziende e altri soggetti, in modo da raccogliere offerte per l'ospedale. "L'idea di fondo era quella di promuovere incontri con aziende, personaggi, diciamo così, istituzionali. Ai quale illustrare le attività del Bambin Gesù, fare comunicazione e quindi fundraising. È vero: con i soldi stanziati da noi è stata ristrutturata una parte della casa del cardinal Bertone. Cercando di ottenere in cambio la disponibilità di potere mettere a disposizione l'appartamento." Una scelta, quella del board della fondazione, quantomeno discutibile. Profiti ammette di aver ricevuto le fatture dalla ditta di Bandera, e aggiunge pure di ricordare l'esistenza di "una lettera con la quale la stessa società si impegnava a fare una donazione al Bambin Gesù per un importo corrispondente. Credo ci sia, questa lettera. Che seguito abbia avuto non lo so, perché poi sono andato via...".

Al di là dell'esistenza (o meno) della lettera d'intenti, a domanda secca, ossia se il cardinale Bertone sapesse o meno che era stata la fondazione Bambin Gesù a pagargli parte della ristrutturazione della sua casa, Profiti risponde così: "Confesso che questo non lo ricordo, se sia stato comunicato o meno. Credo di aver chiesto al cardinale se c'era questa disponibilità a fare incontri istituzionali, anche culturali diciamo. E se c'era questa sua disponibilità, si poteva contribuire... Credo lui abbia detto di sì".

Torniamo alle spese rilevate dalla PwC. Oltre stipendi *monstre* e noleggio di elicotteri, i revisori evidenziano anche i "costi dei servizi del 2011 riguardanti un evento, un concerto musicale, che si tiene ogni due anni, *La luce dei bambini*", nato nel 2009 con l'idea di sostenere l'ospedale. Nel 2011 nell'aula Paolo VI suonò Giovanni Allevi, nel 2013 il Vaticano fu allietato dalla voce di Andrea Bocelli. "Suggeriamo di introdurre un modello organizzativo che definisca le norme circa l'ammontare della liquidità che dovrà essere trattenuta nella fondazione Bambin Gesù (incluso il suo profilo di rischio) e il tipo di spese che potranno essere sostenute dalla fondazione, e che contempli inoltre una separazione delle funzioni nel processo di autorizzazione e controlli interni adeguati," commentano alla fine dell'audit i revisori. Che evidenziano pure l'assenza di un documento formale del Regolamento organizzativo che, secondo lo statuto, dovrebbe invece "governare" il funzionamento dell'ente. Che, va sottolineato, quell'anno è riuscito anche a fare il pieno di donazioni: nel corso del 2012 grazie a offerte di aziende e privati (Telecom Italia ha messo una fiche da 250 mila euro, Unicredit altri 50 mila euro, Green Network 129 mila, la fondazione vaticana Spes Viva 145 mila, mentre dagli sms solidali sono arrivati 173 mila euro) le elargizioni hanno raggiunto 1,5 milioni di euro, sempre raccolti tramite conti correnti e conti dello Ior.

"Le donazioni ricevute dalla fondazione sono deducibili dal reddito imponibile," si legge ancora sul report. "La liquidità della fondazione, 5,3 milioni al 31 dicembre 2012, è investita in strumenti finanziari tramite l'attività di gestione patrimoniale dello Ior (su cui sono investiti 2,2 milioni) e in depositi a tempo dell'Apsa (2,7 milioni)." Un altro documento della Cosea, che sintetizza i risultati del lavoro d'indagine di PwC, mette però la pietra tombale sulla gestione dell'organismo nato per volere di Profiti: "Alla luce della visibilità pubblica della fondazione e delle sue attività di fundraising, l'attuale struttura di governance deve essere rivista e adattata a un modello organizzativo che definisca chiaramente la separazione dei doveri e delle gerarchie di approvazione. Questa grave debolezza nel controllo interno è molto probabilmente la ragione per cui sono state registrate spese non documentate (le informazioni relative queste transazioni sono state inviate all'Aif) e significative somme non sono state spese per le attività del Bambin Gesù". A oggi, però, non sappiamo se l'Aif abbia preso provvedimenti, o abbia considerato ogni uscita – elicottero compreso – giustificabile.

Exxon, Dubai e tante consulenze

Oltre a quello sulla gestione della fondazione, sono decine gli allarmi rossi lanciati dai revisori sull'ospedale fondato nel 1924 sul colle del Gianicolo, e da allora considerato una struttura vaticana extraterritoriale. Uno status che permette alla Santa Sede di non pagare tasse, nonostante i suoi introiti derivino quasi esclusivamente dal Servizio sanitario nazionale e da alcune leggi ad hoc che lo gratificano con decine di milioni l'anno. Sempre soldi pubblici, naturalmente. Non è tutto: i revisori puntano il dito su alcune attività commerciali che sarebbero "non coerenti" con la missione originaria dell'ospedale, descrivono le enormi risorse finanziarie accumulate su alcuni conti del Bambin Gesù aperti allo Ior e all'Apsa, sottolineano l'eccessivo ammontare (centinaia di migliaia di euro) di consulenze per progetti mai realizzati, accendendo fari persino su donazioni (oltre alla fondazione anche l'ospedale ne riceve a carrettate, erano 3,6 milioni solo nel 2012) arrivate nel 2011, nel 2012 e nel 2013 da banche estere, movimentazioni che poi sono state inviate all'Aif per ulteriori controlli.

Colpiscono, poi, gli investimenti azionari. Davvero sorprendenti: se papa Francesco se la prende spesso e volentieri contro "il capitalismo selvaggio che ha insegnato la logica del profitto a ogni costo, del dare per ottenere, dello sfruttamento senza guardare alle persone", il Bambin Gesù ha investito anche in azioni della Exxon, la multinazionale del petrolio costretta negli anni passati a pagare miliardi di dollari di multe per frodi finanziarie e disastri ecologici come quello della nave *Exxon Valdez* in Alaska, e in titoli della Dow Chemical, colosso americano del settore chimico finito in varie inchieste per incidenti gravi. Aziende con etica sociale apparentemente assai lontana da quella propugnata dalla Santa Sede. Per la cronaca, il nosocomio vaticano ha comprato anche titoli della Baxter, della Pepsi e della 3M.

Il business dell'ospedale pediatrico, eccellenza assoluta nel panorama nazionale, è enorme: i ricavi toccano i 270 milioni di euro l'anno, di cui 184 vengono dalla Regione Lazio e dal Servizio sanitario nazionale, e altri 80 da una norma inserita nella legge di Stabilità dal 2005 che prevede l'elargizione all'ospedale di 50

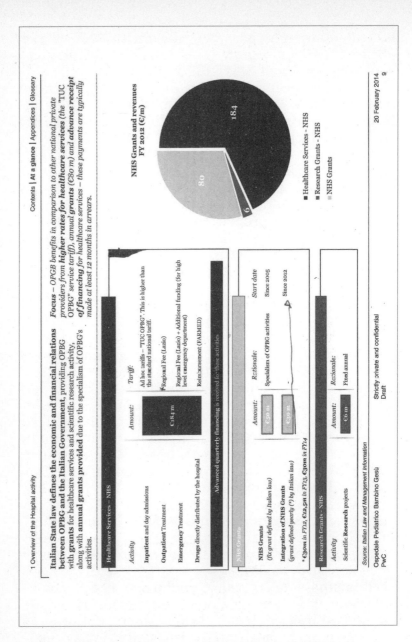

1 Overview of the Hospital activity

Italian State law defines the economic and financial relations between OPBG and the Italian Government, providing OPBG with **grants** for healthcare services and scientific research activity, along with **annual grants provided** due to the specialism of OPBG's activities.

*Focus – OPGB benefits in comparison to other national private providers from **higher rates for healthcare services** (the "TUC OPBG" service tariff), annual grants (€80 m) and **advance receipt of financing** for healthcare services – these payments are typically made at least 12 months in arrears.*

NHS Grants and revenues FY 2012 (€/m)

- Healthcare Services - NHS
- Research Grants - NHS
- NHS Grants

184
80
6

Healthcare Services – NHS

Activity	Amount:	Tariff:
Inpatient and day admissions	€184 m	Ad hoc tariffs – "TUC OPBG". This is higher than the standard national tariff.
Outpatient Treatment		Regional Fee (Lazio)
Emergency Treatment		Regional Fee (Lazio) + Additional funding (for high level emergency department)
Drugs directly distributed by the hospital		Reimbursement (FARMED)

Advanced quarterly financing is received for these activities

NHS Grants

	Amount:	Rationale:	Start date
NHS Grants (fix grant defined by Italian law)	€80 m	Specialism of OPBG activities	Since 2005
Integration of NHS Grants (grant defined yearly (*) by Italian law)	€20 m		Since 2012

*€30m in FY12, €12.5m in FY13, €30m in FY14

Research Grants – NHS

Activity	Amount:	Rationale:
Scientific Research projects	€6 m	Fixed annual

Source: Italian Law and Management Information

I soldi che lo Stato italiano gira ogni anno al Bambin Gesù.

142

Overview of the Hospital financial position over the period 2008- 30 November 2013

Focus – OPBG's financial investments are managed through Vatican State banks (IOR and APSA). Italian Government bonds are due in 2016 . Shares in more than 20 US entities (Exxon, Dow Chemical, Baxter, Pepsico and 3M among others). We have been informed by Management that OPBG doesn't hold any bank accounts overseas.

OPBG - Financial Position

€ in thousand	31 Dec 08 Act	31 Dec 09 Act	31 Dec 10 Act	31 Dec 11 Act	31 Dec 12 Act	30 Nov 13 Draft
Asset management (IOR) (*)	5.715	217.981	280.962	276.063	276.063	232.563
Investment funds (US corporate bonds and shares)	-	-	-	39.673	20.840	32.408
Investment funds (EU corporate bonds and shares)	3.019	2.985	3.375	3.721	4.011	4.298
Italian Government Bonds	-	-	-	-	20.000	10.260
Shares (mainly US entities)	4.636	4.516	4.471	4.510	5.093	5.208
Corporate Bonds (Italian banks)	-	-	-	20.000	300	-
Corporate Bonds (Foreign banks)	-	115.410	65.000	-	-	5.524
Other	90	58	57	-	-	-
Non current	**13.459**	**340.951**	**353.865**	**343.966**	**326.307**	**290.261**
Time deposits (IOR & APSA extr.)	356.836	126.000	78.000	31.230	40.600	113.600
Corporate Bonds (Italian banks)	-	-	-	-	20.000	-
Corporate Bonds (Foreign banks)	-	10.094	50.000	35.021	-	-
Bank accounts (IOR & APSA extr.)	27.872	1.470	4.387	5.740	31.047	27.998
Cash and bank accounts (Italian banks) (**)	1.032	1.368	1.683	5.334	9.880	3.480
Current	**385.739**	**138.932**	**134.070**	**77.325**	**101.527**	**145.078**
Financial Position	**399.199**	**479.884**	**487.935**	**421.291**	**427.834**	**435.339**

(*) We point out that asset management (GPM) as at 31Dic11,12,13 has been valuated at the fair value as at 31Dec10 net w thdraw
(**) Unicredit for the current activities; MPS and Poste for donation
Source: Financial statements as at 31 Dec 12; Finacial assets detail as at 30 Nov 13

Gli investimenti in Borsa del Bambin Gesù, tra cui Exxon e Dow Chemical.

143

milioni di euro l'anno, a cui si sono aggiunti 30 milioni supplementari nel 2012, circa 12,5 nel 2013, tornati 30 nel 2014. Lo Stato, infine, gira altri 6 milioni annui destinati alla ricerca. Non tutto il gruzzolo dei contribuenti, però, sembra essere stato speso per le attività di gestione dell'ospedale vaticano: tra cash, azioni e titoli di Stato il Bambin Gesù controlla oggi infatti un patrimonio finanziario di circa 427 milioni di euro, dato aggiornato alla fine del 2013. Una montagna di denaro quasi raddoppiata in poco più di due lustri: nel 2001 l'ospedale gestiva ricchezze per "appena" 253 milioni. Il tesoro è amministrato dallo Ior e dall'Apsa ed è investito, come abbiamo visto, in azioni, obbligazioni, oltre che in titoli di Stato della Repubblica italiana.

Gli stessi revisori di PricewaterhouseCoopers si dicono molto preoccupati della distanza tra la missione originale del Bambin Gesù, nato per curare i bambini poveri di Roma e della provincia, e l'attuale impero che possiede cinque sedi nel Lazio e vanta collaborazioni con altre cliniche in tutta Italia, attività internazionali in diciassette stati, e che controlla finanche due società commerciali. Si tratta della Clinical & Research Services srl e della Xellbiogene srl, quest'ultima un'impresa biotech gestita insieme all'Università Cattolica e specializzata nella ricerca genetica con la quale si sperava di fatturare fino a 9,5 milioni l'anno entro il 2020. Nata nel 2013 la Xellbiogene è stata messa in liquidazione nell'aprile 2015 dai nuovi vertici che hanno preso il posto di Profiti.

Le società commerciali possono creare problemi rispetto alla mission e allo status dell'ospedale: sebbene operi di fatto in Italia e sia finanziato dai contribuenti italiani, il Bambin Gesù non paga le tasse, non paga l'Imu, i suoi dipendenti non pagano l'Irpef. Privilegi giustificati, secondo lo Stato cattolico, dagli articoli 16 e 17 dei Patti lateranensi. In pratica l'extraterritorialità del nosocomio permette di non pagare alcun tributo. Una posizione criticata dagli stessi revisori della multinazionale a stelle e strisce, e sintetizzata così dai commissari della Cosea in un paragrafo di nota riservata intitolato *Interpretazione molto ampia dei benefici dei Trattati lateranensi.* "Il management dell'ospedale Bambin Gesù ritiene che, in considerazione della sua entità extraterritoriale, qualsiasi attività svolta dall'ospedale e dai suoi dipendenti, indipendentemente dalla sua natura o dal suo luogo, goda dei benefici dei Trattati lateranensi e di conseguenza non è soggetta al sistema tributario italiano," commenta la Pontificia commissione referente. "Tuttavia per comprendere i rischi reputazionali che potrebbero derivare da questa interpretazione del trattato, occorre una analisi più approfondita della posizione fiscale, inclusa Iva e imposta sugli immobili, relativa alle attività commerciali sempre più diversificate svolte dal Bambin Gesù e dai suoi dipendenti al di fuori del territorio vaticano."

I revisori americani suggeriscono di aggiornare lo statuto del 1924 con urgenza, e di definire chiaramente "i ruoli, le responsabilità e i poteri del cda e del presidente (che ha pieno controllo sulle operazioni ordinarie e straordinarie, tutte le iniziative proposte da lui vengono approvate indipendentemente da quello che ne pensano gli altri membri del board) con una netta separazione dai doveri e soglie di autorizzazione". Forse gli ispettori attaccano affinché in futuro si evitino gli sprechi e si analizzino a dovere progetti "come quello in Sardegna e un altro in Brasile", altri due casi esaminati con dovizia di particolari dagli americani.

Il primo progetto messo sotto la lente dagli esperti contabili della PwC riguarda l'ipotesi di acquisto dell'ospedale San Raffaele di Olbia, un tempo propaggine dell'impero di don Verzé. Profiti cercò di sbarcare sull'isola, attraverso un accordo commerciale tra il Bambin Gesù, che avrebbe avuto il 25 per cento della società che doveva rilevare la clinica sarda, il gruppo Malacalza (25 per cento) e la Qatar Foundation, che sarebbe dovuta entrare con il 50 per cento delle quote. L'affare

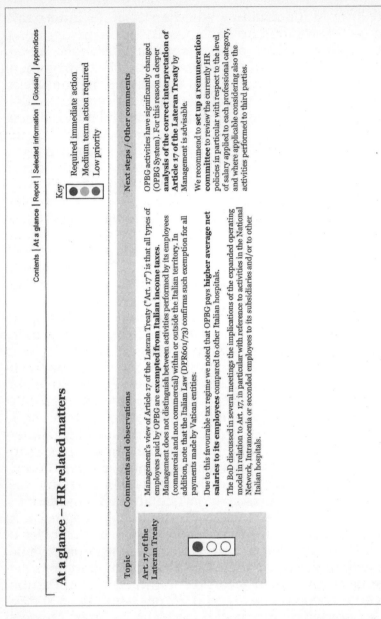

At a glance – HR related matters

Key

● Required immediate action
● Medium term action required
● Low priority

Topic	Comments and observations	Next steps / Other comments
Art. 17 of the Lateran Treaty ● ○ ○	• Management's view of Article 17 of the Lateran Treaty ("Art. 17") is that all types of employees paid by OPBG are **exempted from Italian income taxes.** Management does not distinguish between activities performed by its employees (commercial and non commercial) within or outside the Italian territory. In addition, note that the Italian Law (DPR601/73) confirms such exemption for all payments made by Vatican entities. • Due to this favourable tax regime we noted that OPBG pays **higher average net salaries to its employees** compared to other Italian hospitals. • The BoD discussed in several meetings the implications of the expanded operating model in relation to Art. 17, in particular with reference to activities in the National Network, Intramoenia or seconded employees to its subsidiaries and/or to other Italian hospitals.	OPBG activities have significantly changed (OPBG System). For this reason a deeper **analysis of the correct interpretation of Article 17 of the Lateran Treaty** by Management is advisable. We recommend to **set up a remuneration committee** to review the currently HR policies in particular with respect to the level of salary applied to each professional category, and where applicable considering also the activities performed to third parties.

I dubbi dei revisori sull'applicazione dei Patti lateranensi al Bambin Gesù.

com'era stato inizialmente delineato non è mai andato in porto, e il nosocomio del Gianicolo è uscito di scena, sostituito, come vedremo, da un altro ospedale vicino al Vaticano. Non prima, però, di aver bruciato centinaia di migliaia di euro in consulenze: "Il Bambin Gesù ha fatto un accordo con due società di consulenza (il Tmf Group e lo studio legale Norton Rose) per essere assistito nella transazione, per un onorario di 725 mila euro," si legge nella *due diligence*. Somma a cui bisogna aggiungere gli 89 mila euro segnati nel contratto con Bain & Co. per la realizzazione di un business plan e i 130 mila euro girati alla società di consulenza Eam Advisory, con sede a Dubai. "Il management [cioè Profiti e i suoi uomini] ci ha informato che nel 2013 i costi totali pagati dall'ospedale per questo progetto ammontano a 641 mila euro, di cui 465 mila devono essere rimborsati dai partner della joint venture." Che sarà sciolta qualche mese più tardi.

Se l'avventura sulla Costa Smeralda prenderà altre strade, l'idea di un ospedale da realizzare a Rio de Janeiro insieme alla fondazione brasiliana Pró Criança abortirà sul nascere, a causa dello scetticismo di alcuni membri del cda del nosocomio non disposti ad accantonare 5 milioni per l'affare dall'altra parte dell'Oceano Atlantico. In questo caso spese non ne sono state sostenute. Profiti, che nel marzo 2014 fu confermato sulla poltrona presidenziale nonostante i rapporti strettissimi con la vecchia guardia bertoniana, sarebbe potuto rimanere fino al 2016, ma ha preferito consegnare le dimissioni nelle mani del segretario di Stato Parolin il 13 gennaio 2015. È stato sostituito da una donna, Mariella Enoc, vicepresidente della fondazione Cariplo e vicinissima al banchiere della "finanza bianca" Giuseppe Guzzetti. "Il nostro compito," ha spiegato ad "Avvenire" dopo la nomina, "è curare al meglio i bambini, essere attenti alle persone che vi lavorano, garantire una grandissima trasparenza, così che l'ospedale sia davvero come una casa di vetro dove tutti possono vedere e valutare quanto si fa." Finora ha an-

1.2 Significant new projects

Sardinia project – There is a new project in Sardinia with a feasibility study submitted to the State Secretariat for approval

Focus – Even in the lack of the clarity of the governance, the Sardinia project may qualify as an extraordinary administrative act that require approval from the BoD. In late 2012 OPBG entered into agreements to support the feasibility study (actual fees amounting to €0.6m). In May 2013 this project has been presented for the first time to the BoD creating significant discrepancies

Project Sardinia

Structure	• **Hospital San Raffaele Olbia (Sardinia – Italy).** • Regional centre of excellence for post-acute patient assistance • 263 beds (of which 116 post acute and 18 under payment) and 5 operating theatres • Hospital is inactive
Subject	• Completion of the construction and management of the hospital
Proposed structure	**2 Legal Entities:** • **PropCo (real estate/property company):** Qatar Foundation Endowment (Leader) + Malacalza Group (leader) + OPBG • **OpCo (hospital operating company):** OPBG (Leader) + Qatar Foundation Endowment + Malacalza Group + other clinic partners (Gemelli, Tor Vergata, Besta, IEO)
Proposed model	• **PropCo:** a real estate and financial role for the acquisition and realization of the structure and technological equipment • **OpCo:** management of the hospital (leadership OPBG) together with other clinic partners • On November 2012 OPBG entered into an agreement with two consultancy firms (TMF Group and Norton Rose legal firm) (defined as the "**Agreement**") to be assisted in the transaction process from signing a Memorandum of understanding ("MoU") up to the implement the proposed structure for a total fees of €725k. • On 19 December 2012 OPBG signed the MoU which highlights that the costs of expenses of the project, regardless of whether it completes, will be born by each parties proportionately, on the basis of the respective participation in the JV. The MoU states also that OPBG has already incurred fees for €83k from Bain&Co in respect to a draft business plan. • Management informed us that in FY13 costs for a total amount of €641k have been incurred (and paid) by OPBG for this project, of which €465k to be reimbursed by the JV partners as per the MoU terms. On the basis of the Agreement, the total costs to be sustained for the structuring of the financing with EAM Advisory FZG, a Dubai advisory firm, would range between €150k and €250k.
External costs for the project	External costs - PJ Sardinia FY13 | € in thousands	Invoice	OPBG portion
---	---	---
TMF/Norton Rose	461	130
Bain & Co.	49	12
EAM Advisory	130	33
Total	**641**	**175**	 Source: Management information

Source: Brochure " Progetto BAMBINO GESÙ SARDEGNA", Memorandum of Understanding and letter of engagement between OPBG and Norton Rose Studio Legale and TMF Group dated November 2012

Ospedale Pediatrico Bambino Gesù
PwC

Strictly private and confidential
Draft

21 March 2014
34

Le spese per consulenze pagate dal Bambin Gesù per il progetto del San Raffaele a Olbia, mai realizzato.

148

nunciato che bisogna concentrarsi sulla missione originaria, quella di curare i minori poveri, e di voler cambiare lo statuto della fondazione degli scandali. I report di PwC, però, erano forse troppo imbarazzanti per essere resi pubblici: come accaduto con lo Ior, gli uomini nuovi di Francesco preferiscono lavare i panni sporchi lontano da occhi indiscreti.

I miracoli di Padre Pio

Il Vaticano ha mandato gli ispettori non solo al Gianicolo, ma anche a San Giovanni Rotondo. Dove sorge uno dei più grandi ospedali d'Italia, la Casa sollievo della sofferenza, fondata da Padre Pio e diventata un colosso della sanità pugliese. Un polo d'eccellenza (ultimamente è stato aperto anche un futuribile centro di ricerca sulle staminali) che detiene un enorme patrimonio immobiliare e finanziario. Stavolta è la Deloitte a fare le pulci ai conti del nosocomio, che vanta numeri impressionanti, con 1080 posti letto, 2400 dipendenti e quaranta sale operatorie. Con un fatturato da 274 milioni l'anno (derivanti in massima parte dal Servizio sanitario nazionale italiano), il business della clinica voluta dal santo con le stimmate controlla un impero economico milionario, le cui "business unit" si dividono tra ospedale, società immobiliare (che pesa il 28,1 per cento sul patrimonio) e donazioni: Padre Pio è uno dei santi più amati d'Italia, e non passa settimana senza che arrivino lasciti testamentari a suo favore. Solo nel 2012 sono arrivate offerte per 6,5 milioni di euro.

Gli immobili e i palazzi gestiti dalla Casa sollievo della sofferenza attraverso una controllata, l'Immobiliare spa, sono in tutto trentasette, "quattordici dei quali usati dalla fondazione". Un ente si occupa dei servizi dell'ospedale, l'ufficio Offerte e lasciti, un periodico, una casa per anziani, e pure un'azienda agricola a Castel del Piano, vicino Perugia, senza dimenticare la residenza spirituale Santa Chiara. Tra vendita dei prodotti agricoli e gli affitti, le entrate nel 2013 hanno superato i 5,7 milioni di euro, ma il valore sul mercato degli immobili – secondo Deloitte – è arrivato a 80 milioni. Non male davvero, anche perché secondo la Cosea sarebbe sottostimato, e il suo patrimonio varrebbe non meno di 190 milioni di euro. Le cose potrebbero andare ancor meglio se l'ospedale riuscisse a vincere il contenzioso portato avanti dal 2004 contro la Regione Puglia. Secondo i responsabili del nosocomio, infatti, mancano nelle casse dell'ospedale ben 148 milioni di euro di rimborsi pubblici dovuti ma mai avuti. Una posta, però che non è stata messa in bilancio "perché il risultato del contenzioso non è prevedibile".

Leggendo la *due diligence* si nota subito che i semafori con cui vengono segnalate eventuali criticità sono accesi tutti sul verde. L'unico semaforo rosso, però, descrive una situazione contabile apparentemente preoccupante: "Nel 2013 lo Ior ha informato la fondazione dell'esistenza di cinque conti contenenti in tutto 996 mila euro e registrati a nome della fondazione stessa. Prima di questa comunicazione la fondazione non era a conoscenza dell'esistenza di questi fondi. La fonte di questi fondi è ancora sconosciuta". Un conto fantasma, in pratica, che secondo Deloitte necessita di "un'analisi profonda" in modo da capire l'esistenza o meno di "transazioni irregolari". In realtà dopo qualche settimana s'è svelato l'arcano, grazie a una lettera inviata dal manager che guida l'ospedale, Domenico Crupi. "Sono i soldi delle donazioni dei fedeli di Padre Pio che teniamo lì da sempre," spiega il vicepresidente, un tempo bertoniano di ferro ma stimato anche da Parolin e dal cardinale Pell per i suoi risultati operativi. "Sono somme non movimentate, ho spiegato tutto alla Deloitte, che ci ha certificato anche l'ultimo bilancio. Io sono da sempre per la massima trasparenza. Qualcuno fa girare la falsa notizia che andiamo verso il crac? Voci del tutto infondate, messe in giro dai personaggi del sottobosco vaticano che vogliono danneggiare me e la struttura." In effetti, Padre Pio sembra aver fatto un altro miracolo: a leggere il rapporto l'impero sanitario di San Giovanni Rotondo è ricco e soprattutto senza macchie.

Gemelli e fardelli

Il sogno di Bertone prevedeva che anche l'ospedale Gemelli di Roma divenisse elemento centrale del polo sanitario della Santa Sede. Se il policlinico è infatti storicamente legato al Vaticano, la proprietà è in pancia all'Università Cattolica di Milano, a sua volta controllata da un ente semisconosciuto al grande pubblico, l'Istituto Toniolo. Fondato a Milano nel 1919, eretto "ente morale" con un regio decreto l'anno successivo, l'organizzazione meneghina nacque per volontà di Giuseppe Toniolo, economista e sociologo che nel corso dell'Ottocento aveva curato studi celebri sul rapporto tra cattolici e democrazia, oltre al lancio della "Rivista internazionale di scienze sociali e discipline ausiliarie". Un futuro beato (la canonizzazione è del 2012) che sul capezzale di morte chiese al francescano Agostino Gemelli, suo collaboratore e intimo amico, di realizzare il sogno di tutta una vita: la costruzione della prima università cattolica italiana. Padre Gemelli, laureato in Medicina e specializzato in psicologia, fervente socialista prima di scegliere la tonaca nel 1903, riuscì a mantenere la promessa appena due anni dopo, fondando l'istituto dedicato all'amico scomparso e, nel 1920, posando la prima pietra dell'Università Cattolica del Sacro Cuore di Milano.

Il Gemelli fu invece inaugurato nel 1964, a Roma, alle pendici di Monte Mario. Su un terreno di oltre trenta ettari che papa Pio XI aveva regalato nel 1934 proprio al nuovo istituto per realizzare il primo ospedale vaticano. In mezzo secolo di vita, il nosocomio ne ha fatta parecchia, di strada. Ampliandosi a dismisura e diventando uno dei migliori ospedali d'Italia, celebre in tutto il mondo perché prediletto da ogni pontefice, fonte di interessi economici e di potere e, conseguentemente, di scontri per la sua gestione. Per conquistare il Gemelli, però, bisogna arrivare in cima, alla cassaforte che lo controlla: il Toniolo, partito quasi cent'anni fa con un capitale di 200 mila lire ("corrispondenti," si legge senza ironia nel nuovo statuto finora mai pubblicato, "a euro 103,29"), oggi è un impero che vale centinaia di milioni di euro in immobili e patrimonio finanziario, e che fattura (indirettamente) oltre un miliardo di euro l'anno.

Non è un caso che nel 2011 Tarcisio Bertone e Giuseppe Profiti tentino l'assalto alla fondazione. Una manovra che i due sanno essere complessa, visto che il Toniolo ha una posizione giuridica unica, slegata dalla Santa Sede perché configurato come ente di diritto privato assoggettato al codice civile italiano. Come raccontato per la prima volta da Marco Lillo sul "Fatto Quotidiano", Bertone l'11 marzo di quell'anno tenta un *blitzkrieg* per disarcionare l'allora presidente Dionigi Tettamanzi, arcivescovo di Milano che Giovanni Paolo II aveva messo a capo dell'istituto nel 2003, dopo che il predecessore, il senatore democristiano Emilio Colombo, era finito in un'inchiesta su cocaina e prostituzione (l'ex primo ministro e padre costituente ammise davanti ai giudici che la droga veniva da lui assunta per "motivi terapeutici", e uscì senza conseguenze penali dall'indagine).

Come ampiamente riportato dalla stampa, per Bertone l'istituto è troppo vicino alla Chiesa italiana e ai suoi vescovi, troppo indisciplinati e riottosi ai diktat della Santa Sede: senza la nomina di un suo fedelissimo al posto di Tettamanzi (Bertone avrebbe desiderato mettere sulla poltrona l'ex presidente della Consulta Giovanni Maria Flick) la nascita dell'operazione di un grande polo sanitario vaticano resta irrealizzabile.

Così, il 24 marzo 2011 il braccio destro di Joseph Ratzinger decide che il dado è tratto, che non c'è più tempo da perdere, e dimissiona d'imperio l'allora arcivescovo, mandandogli due paginette tramite fax: "Signor Cardinale ... Come ella sa secondo una prassi risalente alle fasi iniziali dell'Istituto è la Segreteria di Stato a indicare il nome di colui che deve svolgere il ruolo di presidente del Toniolo, dal momento che l'Istituto non è una qualsiasi fondazione privata ma un'emanazione della Chiesa, come ebbe a sottolineare il 27 ottobre del 1962 l'allora cardinale Giovanni Battista Montini. Di fatto, l'impegno di Vostra Eminenza a servizio dell'Istituto Toniolo si è protratto ben oltre il tempo originariamente previsto, e questo ovviamente a prezzo di ben immaginabili sacrifici. In considerazione di ciò, il Santo Padre mi ha dato incarico di ringraziare Vostra Eminenza per la dedizione profusa anche in tale compito a servizio di una istituzione assai importante per la Chiesa e la società italiana. Ora, essendo scaduti alcuni membri del comitato permanente, il Santo Padre intende procedere a un rinnovamento, in connessione col quale Vostra Eminenza è sollevata da questo oneroso incarico".

Tettamanzi, letta la missiva, cade quasi dalla sedia per lo stupore e la rabbia. Non solo mancano ancora due anni alla fine del suo mandato, ma il cardinale sa che non esiste in realtà alcun sotterfugio legale che consenta a Bertone di cacciare il presidente su due piedi. Così non abdica, non si lascia intimidire e decide quattro giorni dopo di rispondere a muso duro. Non al segretario di Stato, ma direttamente a Benedetto XVI. "Sua Santità, nell'ultimo anno l'Istituto Toniolo è stato oggetto di attacchi calunniosi, anche mediatici, a causa di presunte e non dimostrate inefficienze amministrative e gestionali. Nulla di tutto questo!" chiosa, spiegando i motivi per cui non vuol lasciare la sua funzione. "La conduzione dell'Istituto Toniolo non è un incarico semplice e proseguire nell'attività significherebbe non arrendersi di fronte a un compito gravoso e a resistenze ancora presenti, tuttavia il tempo a disposizione consentirebbe di completare l'opera di risanamento e rilancio iniziata, di cui non mancano i primi consistenti frutti."

Tettamanzi gioca bene la sua partita. Ha alleati potenti, come il rettore Lorenzo Ornaghi, e soprattutto i cardinali Camillo Ruini e Angelo Bagnasco, da sempre convinti che la cassaforte del Toniolo debba rimanere appannaggio della Cei. Il papa decide di prendere tempo, non vuole che lo scontro istituzionale si faccia ancora più cruento. Un mese dopo convoca nel palazzo apostolico per un confronto faccia a faccia sia Bertone che il cardinale milanese: quest'ultimo tiene il punto, forte dell'indipendenza formale del Toniolo e del patto stilato con un grande avversario del segretario di Stato, Angelo Scola, a quel tempo già designato come suo successore alla diocesi di Milano, che sul Toniolo ha sempre avuto enorme influenza. Bertone è costretto a fare un passo indietro. Solo un anno più tardi, a marzo 2012, Tettamanzi annuncia *urbi et orbi* i destini della fondazione. "Propongo che il mio successore sia l'arcivescovo Scola," comunica ai membri del comitato permanente d'indirizzo. Proposta che viene accolta per proclamazione. Il segretario di Stato è battuto su tutta la linea.

La guerra santa, però, non finisce. Perché due mesi dopo Giuseppe Profiti, l'uomo della sanità e fedelissimo di Bertone sogna la chimera di un polo cattolico della salute, manda al segretario di Stato una relazione dal contenuto inequivocabile, che attaccando indirettamente Tettamanzi racconta per la prima volta l'entità, enorme, del buco del Gemelli. Una lettera che viene, contestualmente, messa a conoscenza di papa Ratzinger.

L'area sanitaria dell'Università Cattolica del Sacro Cuore, su cui pesano i bilanci dell'ospedale, ha un debito complessivo che sfiora il miliardo (750 milioni verso le banche e 170 verso i fornitori), e il rischio crac è vicinissimo. La nota è datata 17 maggio 2012. Il rosso mostruoso sarebbe causato, ragiona il manager, dalla cattiva gestione e dal fatto che i crediti iscritti a bilancio che il management dell'ospedale sostiene di avere nei confronti della Regione Lazio (circa 820 milioni, che in teoria pareggerebbero i debiti) sarebbero in gran parte inesigibili. Se la cifra fosse iscritta nel bilancio complessivo della Cattolica, continua Profiti, le conseguenze potrebbero essere disastrose: "Impossibilità di accesso al finanziamento bancario strutturato e l'esposizione a possibili istanze di fallimento presso il tribunale di Milano da parte dei creditori ovvero, qualora la situazione dell'Università venisse a conoscenza del giudice, l'apertura della procedura fallimentare ex officio. Pare il caso di segnalare che il tribunale di Milano ha sviluppato un atteggiamento molto aggressivo". Come dimostra, in effetti, il caso del San Raffaele di Milano.

Se i sindacati ricordano che i problemi al Gemelli sono cominciati nel 2006 quando – nonostante nuovi accordi prevedessero che la Regione ripianasse solo le prestazioni sanitarie prodotte – l'ospedale ha continuato a spendere e a spandere, il promemoria esplicita che la Cattolica ha iscritto nel bilancio del suo ospedale (che non è un documento pubblico ma è "compreso" in quello dell'università) crediti che "rappresentano piuttosto pretese di ripiano a pie' di lista dei costi annuali del Policlinico". Un disastro, che per Profiti può essere risolto solo attraverso un'"operazione di razionalizzazione dei costi e di innalzamento della produttività" e una rapida sostituzione dei vertici, caratterizzati da una "assoluta carenza di visione e comprensione dei sistemi di negoziazione a livello istituzionale con conseguente inefficacia, pressoché totale, sugli esiti dei negoziati con regione e ministero".

Nel 2011 il Gemelli è diventato dunque un pozzo senza fondo, che perde decine di milioni l'anno. Difficile dire di chi sia la colpa. È un fatto che l'ospedale sia di proprietà della Cattolica, il cui cda è stato guidato dal 2002 al 2012 dall'ex rettore Ornaghi, dimessosi perché chiamato dall'allora premier Mario Monti a fare il ministro della Cultura. E di certo le scelte di Ornaghi e dell'ex direttore amministrativo Antonio Cicchetti, gentiluomo del papa, che è stato la figura di riferimento nel Gemelli fino al 2010, sono sempre state condivise da Tettamanzi e dalla stragrande maggioranza del consiglio del Toniolo.

Sconfitti i bertoniani e preso il comando, però, Scola e il successore di Ornaghi, Franco Anelli, cambiano strategia, affidandosi mani e piedi al nuovo direttore amministrativo, Marco Elefanti, chiamato a mettere una toppa già a fine 2010. In cinque anni il professore che insegna alla Cattolica e alla Bocconi riesce a chiudere un patto con la Regione Lazio e il governo italiano: in cambio della rinuncia a tutti i crediti pregressi, molti dei quali lo stesso Profiti considerava inesigibili, nel 2014 l'ospedale ottiene 427 milioni, 77 dalla Regione Lazio e 400 (divisi in undici rate annuali, dal 2014 al 2024) dallo Stato, attraverso la legge di Stabilità finanziaria. "Abbiamo, in questo modo, più che dimezzato il buco," ragiona Elefanti, ordinario di Economia aziendale, "grazie al flusso che ci viene garantito dallo stato per la prossima decade abbiamo ristrutturato i debiti medio lunghi con le banche, mentre quelli a cadenza breve, un centinaio di milioni a oggi, sono coerenti con il fatturato." Gli anticlericali, invece, storcono il naso: perché di fatto il debito di un ospedale privato è stato pagato con i soldi pubblici degli italiani, senza nemmeno aspettare che le vertenze economiche tra Gemelli e Regione Lazio arrivassero a giudizio.

Nel 2014 il giro d'affari del Gemelli ha sfiorato i 600 milioni di euro. Tagli agli stipendi per medici, infermieri, dirigenti e impiegati (un primario al Gemelli poteva prendere molto di più rispetto a un collega di un nosocomio pubblico) e un calo consistente degli interessi finanziari sul debito hanno migliorato anche l'utile in bilancio: se nel 2011 l'ospedale perdeva oltre 60 milioni l'anno, il rosso si è ridotto a una quarantina di milioni l'anno successivo, mentre "nel 2014 abbiamo chiuso con una perdita economica di 10 milioni," ammette Elefanti. "Nel 2015 contiamo di chiudere in pareggio."

Ma il cardinale Scola e il consiglio del Toniolo sanno che i tempi bui potrebbero tornare presto, e hanno deciso, dopo mezzo secolo, di separare il destino del Gemelli da quello dell'università, in modo che eventuali nuove défaillance del nosocomio non coinvolgano più la Cattolica, che ha un bilancio sempre in attivo. In pochi sanno, in effetti, che per ripianare di anno in anno le perdite dell'ospedale l'ateneo è stato costretto a dilapidare un tesoretto da 6-700 milioni di euro. Una montagna di soldi messa da parte da Ornaghi in un decennio con l'intento di acquistare e ristrutturare una caserma di Stato situata a pochi metri di distanza dagli edifici del Gemelli. I soldi necessari all'allargamento sono stati inghiottiti dal buco nero del policlinico, ma nelle intenzioni dell'istituto e del rettore Anelli l'edificio resta obiettivo fondamentale per far crescere ancora l'ospedale, oggi primo ospedale oncologico d'Italia e tra i primi cinque poli d'eccellenza nazionali.

Il ramo d'azienda del Gemelli, ad agosto 2015, è stato così ceduto dalla Cattolica a un nuovo ente autonomo, che sarà controllato a metà dal Toniolo e a metà dall'università. Mentre scriviamo Scola si sta dando da fare per cercare di riempire (di denaro) un fondo nato ad hoc per consentire all'ente indipendenza finanziaria. "Un centinaio di milioni sarebbero sufficienti," ammette Elefante. Finora ne sono stati trovati circa 60, ma solo sulla carta: la metà di questi dovrebbe essere infatti investita dalla Cei guidata dal cardinale Angelo Bagnasco, ma i dubbi sull'impiego sono molteplici. La Conferenza episcopale inizialmente aveva ipotizzato di stornare al fondo del Gemelli un po' di soldi provenienti dall'8 per mille, ma secondo un membro del comitato d'indirizzo del Toniolo "l'operazione è spericolata, visto che la legge che istruisce l'8 per mille determina anche i capitoli di spesa. Che non prevedono che la Chiesa possa usare i denari degli italiani per investirli nell'industria sanitaria".

Finora Scola ha cercato finanziamenti un po' ovunque: ha chiesto ai potentissimi Cavalieri di Colombo, a imprenditori italiani, ha cooptato nel consiglio anche banchieri vicini a Comunione e Liberazione, come il presidente del Banco Popolare Carlo Fratta Pasini. Nessuno ha scucito un euro. Nemmeno Domenico Calcagno, il numero uno dell'Apsa, ha voluto finora dare un centesimo al nuovo fondo dell'ospedale vaticano. In questo caso contano anche i rapporti personali. Scola e Calcagno non hanno rapporti idilliaci, mentre il papa non vede di buon occhio l'arcivescovo di Milano dai tempi del conclave, quando l'ex patriarca di Venezia gli contese il trono pietrino.

Sia come sia, Scola mentre cercava finanziatori s'è ingegnato anche per proteggere la sua egemonia sul Toniolo da futuri attacchi curiali: Bertone è ormai in pensione, ma sono in tanti, nella Santa Sede, che vorrebbero ancora mettere le mani sul complesso sanitario che oggi fattura tra università e ospedale oltre un miliardo di euro l'anno (alla Cattolica, che ha 40 mila studenti circa, la retta viaggia intorno ai 10 mila euro pro capite). L'arcivescovo ha lasciato nel comitato d'indirizzo ruiniani fedeli alla Cei come Dino Boffo e Lorenzo Ornaghi, e il 5 dicembre 2013 ha chiamato nel board due "ciellini" doc come il banchiere Pasini e la professoressa Eugenia Scabini, figura storica della Cattolica e amica personale del fondatore di Cl Luigi Giussani. Soprattutto ha nominato, a sorpresa, Gianni Letta, l'ex sottosegretario alla presidenza del Consiglio legatissimo a Silvio Berlusconi, Gentiluomo di Sua Santità, considerato da Scola fondamentale sia per le entrature nella politica sia per i rapporti con parte della curia romana.

Il 10 dicembre 2012, prima ancora di mettere in sicurezza la sua maggioranza nel board, Scola ha anche modificato lo statuto quasi centenario del Toniolo: il nuovo articolo 7 definisce che il presidente del

comitato di indirizzo sia per definizione "l'arcivescovo pro-tempore della diocesi di Milano", e che – tra
gli altri dodici membri – uno "sia designato dalla segreteria di Stato della Santa Sede e uno dalla presidenza della Conferenza episcopale italiana", mentre
gli altri "dieci membri cooptati dallo stesso comitato
tra le personalità del mondo cattolico di chiara
fama". In questo modo Scola ha chiuso la porta a ogni
velleità di conquista, vanificando eventuali assedi alla
sua poltrona. Almeno fino alla prossima battaglia.

Ospedale o bancomat?

Fratel Franco Decaminada l'8 dicembre di ogni
anno va in chiesa per rinnovare i voti fatti alla Madonna. È la legge della congregazione a cui appartiene,
quella dei Figli dell'immacolata concezione: bisogna
promettere castità, obbedienza, povertà. Da sempre
Decaminada per i suoi fratelli è un padre spirituale,
una guida sicura che indica la retta via. Non solo per
lo spirito, ma anche nell'intricata giungla degli affari:
la congregazione è infatti una delle più ricche della Capitale, e gli aveva affidato la gestione dei suoi beni più
preziosi. Ossia l'ospedale San Carlo di Nancy di Roma
e l'Idi, l'Istituto dermopatico dell'Immacolata, uno dei
più importanti centri dermatologici d'Europa.
"Castità, obbedienza, povertà", recita il regolamento dei confratelli. Decaminada, però, non è mai riuscito
a impararlo a memoria. Almeno a giudicare dalle sue
gesta e dal suo singolare rapporto con la cassa del nosocomio. Tutto comincia – come risulta dalle carte dell'inchiesta che la procura di Roma ha aperto nei suoi confronti – nel 2006 quando, prelevando 8900 euro, il frate
decide di cominciare a usare l'Idi come un bancomat
personale. In fondo, pensa, l'ospedale è della mia congregazione, e un "rimborso spese" così modesto, anche
senza fatture allegate o giustificativi, chi vuoi che lo
noti? Nessuno dei suoi sottoposti e confratelli, in effet-

ti, sembra aver qualcosa da ridire. Nel 2007, così, il "rimborso spese" sale a 11 mila euro, l'anno successivo a 33.600 euro. Nel 2009 la cifra comincia a farsi importante: 84.550 euro. Per giustificare il prelievo don Franco non presenta mai uno scontrino, una ricevuta, una spiegazione: Decaminada è il padrone, fa quello che vuole. "Rimborso spese!" dice, e la cassa s'apre come la porta magica di Alì Babà. Passano le settimane e i prelievi crescono. A dismisura: nel 2010 il frate preleva 116 mila euro, nel 2011 le "note spese" salgono a 155 mila euro. Il sacerdote talvolta si dimentica perfino di spiegare che i prelievi sono un rimborso personale, e comincia a prendere senza nemmeno dare una spiegazione. Così, sempre nel 2011, si infila in tasca un totale di 987 mila euro, e nel 2012 altri 746 mila euro. In parte – come ha denunciato chi scrive alla fine del 2011 – spesi per l'acquisto di una villa chiamata "Ombrellino", diciotto stanze extralusso in Toscana, a Magliano, circondate da ventitremila metri quadri di terreno e prati all'inglese.

Nati nel 1857, anno in cui don Luigi Maria Monti fonda la congregazione, e diventati celebri all'inizio del Novecento grazie alle pomate miracolose per la cura della tigna dei contadini, i frati-laici negli anni hanno fatto fortuna, arrivando a controllare oltre ai due grandi ospedali romani pure il centro Villa Paola in provincia di Viterbo, oltre a una dozzina tra case di cura e orfanotrofi sparsi in tutta Italia, una società farmaceutica che fatturava 20 milioni di euro l'anno, il centro oncologico di Nerviano, vicino Milano, e l'Elea, un'azienda fondata dall'Olivetti specializzata in formazione.

I "concezionisti" sono dunque una realtà importante. Soprattutto nella Capitale, dove sono riveriti e omaggiati. In primis dalla politica. Mentre con la mano sinistra spende e spande, con la destra Decaminada chiama al telefono deputati e big di partito per invitarli agli eventi in cui si discetta di fede, politica, televisione, crisi internazionale e Vangelo, definiti una "Cernobbio in riva al Tevere". Dagli ex ministri Franco Frattini e Giulio Tremonti al manager della Pirelli Marco Tronchetti Provera fino all'attrice Vittoria Puccini (che ha letto agli astanti le poesie di Prévert), alla corte dei concezionisti ci vanno tutti, monsignor Rino Fisichella e l'ex segretario del Pd Pier Luigi Bersani compresi.

L'acquisto della magione toscana, però è un passo falso, il primo di fratel Decaminada: dopo un articolo dell'"Espresso", infatti, alcuni dipendenti dell'ospedale che non ricevevano gli stipendi da mesi si arrabbiano e decidono di scrivere un esposto alla procura di Roma. I magistrati sentono puzza di bruciato e puntano presto un faro su Decaminada e sulla gestione del nosocomio: dopo due anni di investigazioni l'inchiesta Todo Modo illuminerà a giorno una vicenda che, secondo l'accusa, avrebbe provocato "distrazioni" di denaro per 82 milioni di euro, un indebito utilizzo di fondi pubblici per oltre 6 milioni, con malversazioni e predonerie di ogni tipo che hanno portato l'Idi a un passivo patrimoniale di 845 milioni di euro e un'evasione fiscale di 450 milioni: oggi gli indagati sono quaranta, accusati a vario titolo di appropriazione indebita, bancarotta fraudolenta, utilizzo di fatture false e occultamento di scritture contabili.

L'operazione sarebbe stata ideata proprio da fratel Decaminada, che avrebbe munto come una mucca non solo l'ospedale dermatologico, vera macchina da guerra che arriva a fatturare anche 100 mila euro cash al giorno, ma la stessa congregazione, di cui sarebbe dovuto essere invece mentore e guida spirituale. Una depredazione organizzata, oltre che sul libero uso della cassa dell'ufficio economato (secondo le analisi della Guardia di finanza il prete si è impossessato – dal 2006 al 2012 – di oltre 2,1 milioni di euro in contanti, il suo complice Domenico Temperini ne ha presi 350 mila), su un sistema di false fatturazioni organizzato intorno a professionisti e società terze che facevano da schermo, spesso riconducibili a Decaminada, all'imprenditore Temperini e ad altri fedelissimi della coppia. Aziende che avrebbero prima drenato decine di milioni dell'ente religioso in virtù di prestazioni mai rese, che poi rigiravano in parte a Decaminada e allo stesso Temperini. A volte persino attraverso triangolazioni con l'estero: oltre alla "Provincia Italiana" della Congregazione una società gestita da Temperini, l'Elea spa, ha ricevuto vagoni di denaro, oltre 3 milioni di euro solo nel 2009, anche dalla Provincia Indiana e da quella Latino Americana, anche queste controllate dai "concezionisti". Così, nei lustri, piccole aziende di amici degli amici avrebbero fornito all'Idi "attività di analisi tecniche finanziarie" mai effettuate, "prestazioni di servizi resi tramite attività di mediazione creditizia" totalmente inesistenti, fantasmagoriche "competenze per ricerche di mercato". A spulciare i bonifici bancari, si scopre che 2,9 milioni di euro sono stati incassati dalla Gi.Esse Info Service srl per una "progettazione modalità web e ricerca logistica" che, secondo gli inquirenti, non sarebbe mai avvenuta. Tangibili e concreti, invece, erano i soldi che alcune società della banda hanno girato sui conti della ex moglie di Temperini, Emanuela Gismondi, e dello stesso Decaminada. Alla fine della fiera, il gruppetto si sarebbe intascato dalla cassa dei "fratelli" 14 milioni tondi tondi.

"Non so nulla di quanto accadesse, tutto è avvenuto a mia insaputa," ha urlato don Franco ai pubblici ministeri sostenendo la propria innocenza. Il casale superlusso in Maremma costato due milioni di euro in contanti? "È stato un investimento preso insieme al cardinale Pio Laghi. Volevamo prenderlo per poter fornire un luogo di riposo e meditazione ai confratelli." Nessuno gli ha creduto, e Decaminada e i suoi complici mentre questo libro va in stampa vanno incontro al loro processo.

Lo shopping del cardinale

Lo scandalo dell'Idi non ha toccato direttamente il Vaticano. La congregazione è un ente religioso autonomo, e nessun esponente della curia (a parte Laghi, che non può replicare alle parole di don Franco essendo morto nel 2009) è stato coinvolto nell'assalto all'ospedale dermatologico. Paradossalmente, invece, l'inchiesta che ha colpito i vertici della congregazione ha aperto al Vaticano un'opportunità insperata. Senza Decaminada di mezzo e con l'ospedale a un passo dal crac e millecinquecento dipendenti a rischio, i cardinali hanno capito che c'erano finalmente i margini per acchiappare una preda che fiutavano da tempo, e che Bertone, per primo, aveva messo nel mirino già nel 2010.

Prima di abdicare, Benedetto XVI su consiglio del suo braccio destro decide di nominare il cardinale Giuseppe Versaldi delegato pontificio dell'istituto (è un potere che il Vaticano può esercitare su qualsiasi congregazione in caso di dissesto finanziario) per tentare di risanare l'ospedale. Al suo fianco, il monsignore chiama il solito Profiti con il compito di gestire la nuova amministrazione straordinaria.

L'obiettivo finale è quello di evitare che altri gruppi privati comprino l'ospedale. "Non vogliamo realizzare un polo sanitario," dichiara Versaldi a Radio Vaticana ad aprile 2013. "Chi lo dice vuole capovolgere la realtà. È solo un segno di vicinanza della Santa Sede che non vuole sostituirsi alla Congregazione dei Figli dell'Immacolata Concezione, ma dare un segnale di supporto e di aiuto." In realtà, un anno dopo, quando Idi e San Carlo finiscono all'asta, l'unica busta che arriva sul tavolo dei commissari del governo italiano giunti dopo l'arresto di Decaminada e dei manager collusi è quella di una fondazione nuova di zecca, intitolata a Luigi Maria Monti. Un'entità costituita apposta dalla congregazione ma in realtà presieduta da Versaldi in persona, circondato da sei consiglieri di cui due nominati dai concezionisti e quattro vicinissimi alla Santa Sede, tra cui i commercialisti Gianluca Piredda e Paolo Ceruzzi e il nuovo consulente dell'Apsa Franco Dalla Sega.

Se gli alleati del gruppo privato Sansavini hanno rilevato il San Carlo di Nancy con un investimento iniziale di una ventina di milioni, per partecipare all'asta e prendersi l'Idi il Vaticano ha messo una fiche da 50 milioni di euro. Non è stato facile trovarli, e alcune intercettazioni (e decine di documenti interni) rivelano non solo l'iter dell'operazione, ma anche le lotte intestine tra i cardinali per la gestione dell'affare. Nel 2013 Versaldi aveva strappato all'ex presidente dello Ior Ernst von Freyberg la promessa di un prestito da 50 milioni, un "pagherò" che si era formalizzato con un decreto ufficiale. Arrivato papa Francesco e rinnovata la governance della banca, però, la musica cambia: il nuovo presidente de Franssu, forse consigliato dal cardinale Pell e da Zahra, decide che i soldi promessi dal suo predecessore non devono più uscire dalle casse della banca. Spedisce persino una lettera a Versaldi, in cui mette nero su bianco che a suo parere i 50 milioni "non sarebbero spesi secondo la prudenza del buon padre di famiglia". Leggendo la missiva a Versaldi viene quasi un infarto. Non solo per l'offesa personale, ma perché l'Idi rischia di andare definitivamente perduto, a favore di qualche gruppo privato. Una bestemmia.

È in questo contesto che va inserita un'intercettazione tra Versaldi e Profiti, una telefonata del 26 febbraio 2014 registrata dai magistrati di Trani che stanno indagando sul buco di un altro ospedale cattolico, quello della Casa della divina provvidenza di Bisceglie. I due stanno cercando a ogni costo il denaro che serve a conquistare l'Idi che i nuovi padroni dello Ior non vogliono più sganciare, e ipotizzano di "girare" 30 milioni che lo Stato aveva stanziato espressamente per il Bambin Gesù con la legge di Stabilità. Un'operazione che al papa, però, va "taciuta".

Giuseppe Profiti: "Pronto! Ciao don Giuseppe!".
Cardinale Versaldi: "Ciao. Senti. Ci riceve stasera alle diciannove il papa".

Profiti: "Ma chi ci?".
Versaldi: "Il papa".
Profiti: "Aaah! O mio Dio!".
Versaldi: "Tu puoi?".
Profiti: "Io certo! E ci mancherebbe!".
Versaldi: "Bene. Ci troviamo... sì".
Profiti: "Eh! Cosa devo...".
Versaldi: "Passi...".
Profiti: "...dire? Fare? Portare?".
Versaldi: "No. Ma poi introduco io come delegato. E poi tu dici le cose che hai detto ieri sera".
Profiti: "Ah! Cos'è che dovevo saltare? Che me ne sto andando in paranoia?".
Versaldi: "Ma diceva... no! Mi pareva... mi pare no?".
Profiti: "Ah!".
Versaldi: "Ehm... ehm... devi tacere che questi trenta milioni...".
Profiti: "Sì. Sì. Sì. Sull'intervento, sì".
Versaldi: "Sono stati dati per l'Idi. E dire semplicemente che, come ogni anno, oltre ai cinquanta sono stati dati trenta per il Bambino Gesù, senza... ah... ah... una..."
Profiti: "Vincolo di destinazione".
Versaldi: "...una ...una... una destinazione, no?".
Profiti: "Ho capito. Ho capito".
Versaldi: "Eh... eh ...".
Profiti: "Sì. Se no bisognerebbe spiegare... Ecco! Tu dici che è meglio così".
Versaldi: "A meno che Lui sappia, sappia diversamente. Possiamo dire così. Poi vediamo".

Quando a giugno 2015 l'intercettazione viene pubblicata dai giornali, il Vaticano finisce nell'occhio del ciclone: in molti pensano che Versaldi e Profiti abbiano distratto il denaro pubblico destinato al Bambin Gesù, e che lo abbiano investito nel salvataggio dell'Idi. Un sospetto che sorge spontaneo, anche perché nel 2014 in Finanziaria, oltre ai soliti 50 milioni che il nosocomio pediatrico riceve per legge dal 2005, Profiti era riuscito a ottenere dal parlamento un regalo suppletivo, pari esattamente a 30 milioni. La cifra esatta di cui si parla nell'intercettazione.

A qualche settimana di distanza dal colloquio telefonico e dall'incontro con Bergoglio, però, il delegato pontificio e il suo vicario capiscono che comprare l'Idi con i soldi del Bambin Gesù è strada rischiosa, e impraticabile. Così tornano a battere cassa in Vaticano. Versaldi riesce a convincere Francesco della bontà del salvataggio, ma nemmeno il papa riesce a imporsi subito: secondo de Franssu e Pell dallo Ior – nonostante il vecchio accordo – non deve uscire nemmeno un euro. "Il cardinale australiano teme che la Santa Sede perderà questi milioni," spiega a verbale Pietro Parolin ai colleghi della commissione cardinalizia dell'Apsa riuniti il 12 settembre 2014 per trovare una soluzione.

Oltre a Parolin al tavolo siedono il neocamerlengo Jean-Louis Tauran, Calcagno, Battista Re, Versaldi, Attilio Nicora e altri membri dell'ente. Il gruppetto, d'accordo con Francesco, decide quel giorno di forzare la mano e aggirare il diktat di Pell: i 50 milioni non verranno messi dallo Ior ma dall'Apsa, un'amministrazione fuori dalla sfera d'influenza del "Ranger" di Sidney. Fallisse l'Idi, ragiona il cardinale Agostino Vallini, "i danni di immagine, di rapporti politici, diplomatici, giuridici, il problema dei dipendenti, sarebbero notevoli". Il vicario della diocesi di Roma aggiunge di avere più di un dubbio sul fatto che il prestito dell'Apsa sia garantito da un altro ospedale: la presenza di "un soggetto terzo come il Bambin Gesù," afferma, "può far leggere un'operazione che sembra chiara, lineare e urgente come un'operazione poco chiara". "Già. Per colpa di Pell siamo di fronte all'ennesimo pasticcio vaticano," chiosa Nicora a fine riunione. Pasticcio o meno, il gruppetto di eminenze decide alla fine di ignorare le indicazioni di Pell, di investire i denari (garantiti dal Bambin Gesù che ha "congelato" 50 milioni e spera di riaverne 10 l'anno per il prossimo lustro), di partecipare all'asta e comprarsi l'Idi. Il nuovo gioiello della collezione. Versaldi è stato scagionato dalla procura di Roma da ogni accusa. E addirittura promosso da papa Francesco: nel marzo 2015 il bertoniano ha lasciato la presidenza della prefettura degli Affari economici ed è diventato ministro della influente Congregazione per l'Educazione cattolica, che sovrintende tutte le università pontificie, le facoltà, i licei superiori, le scuole e gli istituti di formazione dipendenti da un'autorità ecclesiastica.

Ma il cardinale avrà anche il tempo di dedicarsi al suo nuovo hobby in Costa Smeralda. Dove presto l'Idi gestirà, insieme alla Qatar Foundation, un nuovo ospedale, il Mater Olbia, che sorgerà sulla vecchia struttura del San Raffaele di don Verzé, quella già finita nelle mire del Bambin Gesù targato Profiti. Un affare da 140 milioni di euro, tutti messi dai qatarioti che hanno deciso di investire nei prossimi anni a Porto Cervo e dintorni 1,2 miliardi di euro, e che per i futuri clienti extralusso necessitavano di un nosocomio all'altezza nella zona.

Quando la nuova presidente del Bambin Gesù Mariella Enoc ha stracciato il vecchio progetto di Profiti (nessuna partnership, ha ordinato ai suoi, al massimo ci prendiamo la gestione clinica del reparto pediatrico), i cardinali hanno capito che c'era un varco per infilarsi nel business, usando l'Idi come cavallo di Troia: d'accordo con il sostituto per gli Affari generali della segreteria di Stato Giovanni Angelo Becciu, originario della provincia di Sassari e molto legato alla sua terra, Versaldi e i suoi uomini hanno chiuso un accordo con gli emiri musulmani attraverso la fondazione Luigi Maria Monti. Alla fine dei lavori la proprietà del nuovo Mater Olbia sarà interamente della Qatar Foundation, ma la società di gestione dell'ospedale verrà divisa in due quote: 40 per cento al Vaticano, 60 per cento agli uomini dell'emiro Al-Thani. Un'alleanza tra sunniti radicali e Santa Sede che sorprende solo le anime belle, ma che promette affari d'oro e appalti per tutti.

Sarà proprio il Vaticano a occuparsi dell'affidamento dei lavori della struttura sanitaria che sorge alla periferia della città. A Olbia temono la ripetizione di esperienze infelici, e non l'hanno mandata a dire: "Considerate le importanti risorse finanziarie pubbliche che verranno investite," hanno scritto in un comunicato a fine luglio 2015 i capigruppo del consiglio comunale, "siamo preoccupati delle voci allarmanti sulle procedure di appalto, un percorso che ci sembra assai simile ad altre esperienze come il G8 della Maddalena". I qatarioti hanno chiuso la querelle con una risposta che assomiglia a un pernacchio: se "abbiamo preso impegni precisi con le autorità," ha ribattuto il manager della Qatar Foundation, Lucio Rispo, "questo non toglie la nostra libertà di poter fare quello che vogliamo con i nostri soldi. Qui non c'è un euro dello Stato italiano: noi ristrutturiamo, compriamo attrezzature, procediamo con le assunzioni, paghiamo gli stipendi". Insomma siamo i padroni, e facciamo come più ci aggrada.

Suore, amanti e un po' di miliardi

Il gruppo di potere vaticano che fa capo a Profiti è protagonista anche di un'altra battaglia, quella per la conquista della casa di cura della Divina provvidenza. Un enorme ospedale psichiatrico in Puglia, con sedi a Bisceglie, Foggia, Potenza e Paraná (in Argentina), fondato da don Pasquale Uva nel 1922 e diventato in pochi decenni uno dei centri psichiatrici più importanti e ricchi del Sud-Italia, grazie al lavoro delle suore della congregazione che lo controlla, le ancelle della Divina provvidenza.

Se presunti maltrattamenti dei pazienti e le condizioni sanitarie disastrose dell'istituto avevano scandalizzato scrittori e giornalisti già in passato, nella primavera del 2015 la procura di Trani ha scoperchiato il vaso di Pandora, rivelando che il Don Uva più che uno straordinario esempio di solidarietà cristiana è stato teatro di una "incredibile vicenda" basata su distrazione di pubblico denaro, assunzioni clientelari, bilanci falsi, stipendi e consulenze d'oro, con soldi pubblici destinati teoricamente alle cure dei malati finiti in alcuni conti Ior intestati alle suorine e vecchi manager. Principali indagati, insieme ad alcune religiose e a politici di primo livello, del crac della congregazione e dell'ospedale oggi in amministrazione straordinaria, con un buco di circa 500 milioni di cui almeno 350 costituiti da debiti nei confronti dello Stato italiano.

Anche il Vaticano è finito nelle carte dell'inchiesta: nel 2013 la congregazione era stata infatti commissariata dalla Santa Sede, che aveva nominato il vescovo di Molfetta Luigi Martella come delegato pontificio. Come braccio destro il monsignore aveva convocato in Puglia l'onnipresente Profiti. "Dopo quarant'anni di possesso della collina da parte dei vietnamiti, l'abbiamo liberata," spiegava Giuseppe a un suo collaboratore festeggiando la nomina. "Poi che farci di questa collina, non si sa." L'obiettivo del manager e dei prelati a Roma, secondo gli atti dei magistrati, è sempre lo stesso: come l'Idi anche la Divina provvidenza è un ente ecclesiastico in stato di decozione che affronta la crisi accedendo alla procedura di amministrazione straordinaria. Il progetto ambizioso, scrivono i giudici "è quello di rientrarne in possesso definitivamente una volta depurati dall'immenso disavanzo economico, da scaricare interamente sulla collettività". Per raggiungere lo scopo bisogna coprirsi a destra e a sinistra, con il governo e la Santa Sede: secondo i pm solo così si spiegano i contatti continui di Profiti con Versaldi, Bertone e alti dirigenti del ministero dello Sviluppo economico, senza parlare dell'asse di ferro con il politico considerato a capo dell'intero sistema criminale messo in piedi alla Divina provvidenza, Antonio Azzollini.

Senatore del Nuovo Centrodestra e da quindici anni presidente della commissione Bilancio a Palazzo

Madama (si è dimesso dall'incarico l'8 luglio 2015, in seguito alla richiesta d'arresto dei giudici pugliesi poi bocciata dall'aula), dal 2009 è lui, secondo l'accusa, il ras indiscusso dell'istituto; l'uomo che meglio di tutti è riuscito a saldare gli interessi della politica con quelli dei vertici della congregazione (agli arresti domiciliari sono finite suor Consolata, l'economa, e suor Marcella, rappresentante legale dell'Opera), declinando il rapporto sul "sinallagma", un contratto dove ogni parte contraente fa un favore all'altra solo in cambio di una controprestazione.

"Da oggi in poi comando io. Sennò vi piscio in bocca," urlava Azzollini alle suorine nel luglio del 2009, un insulto riportato da un testimone oculare ma smentito dall'amico di Angelino Alfano. Con quella frase inizia il suo regno incontrastato, fondato su un "colpo di Stato" che comporterà l'immissione di uomini di fiducia nell'ospedale e la nascita dell'associazione a delinquere che dominerà la Divina provvidenza per almeno un lustro. Anni in cui Azzollini riuscirà a ottenere perfino la proroga nella legge Finanziaria della sospensione degli adempimenti fiscali e contributivi concessi alle suore la prima volta già nel 2004. In pratica è stato consentito alle suore di non pagare le tasse allo Stato italiano.

Stavolta, però, Profiti e il Vaticano sembrano essere arrivati troppo tardi. Non solo perché l'inchiesta penale è cominciata da un pezzo, ma perché l'ospedale è stato spolpato fino alle ossa. Se, grazie all'accredito con le Regioni Puglia e Basilicata, la Divina provvidenza incassa tra rimborsi di rette e prestazioni sanitarie quasi 90 milioni l'anno, nel periodo che va dal 2009 al 2014 i centri di don Uva riescono ad accumulare perdite complessive pari a 170 milioni di euro, mentre dirigenti e politici fanno incetta di assunzioni di parenti, amanti e raccomandati, senza contare i reclutamenti di massa fondamentali per il consenso politico di Azzollini, già sindaco di Molfetta, che considera la zona di Bisceglie un personale feudo elettorale.

Le suore firmano ogni delibera, ogni contratto. Permettono che lo scempio si compia davanti ai loro occhi. Com'è possibile che prima dell'arrivo dei magistrati nessuno se ne fosse accorto? "L'unico comune denominatore immutabile negli anni è stato il silenzio," spiegano gli ufficiali che dal 2012 hanno lavorato attraverso analisi finanziarie e intercettazioni sui bilanci oscuri della casa di cura. "Grazie al complice silenzio di tutti, a ogni livello, si è alimentato e instaurato un vero e proprio 'grumo di potere' che ha imperato sull'ospedale. Niente ha squarciato il velo di omertà sull'ente religioso dove vent'anni fa lavoravano ancora ben oltre tremila persone, somigliante più a una cassaforte che a un ente di natura caritatevole."

Fino al 1998 le suore avevano accumulato illecitamente su alcuni conti dello Ior e del Banco di Roma titoli e contanti per 55 miliardi di lire, ma nessuno ha mai denunciato irregolarità o stranezze. Un documento manoscritto trovato nei cassetti della congregazione e presentato diciassette anni fa all'assemblea delle religiose spiegava che erano a disposizione 7,7 miliardi di lire per le pensioni delle suore, titoli per 2,7 miliardi, mentre allo Ior, oltre a qualche milione in marchi tedeschi, franchi svizzeri, dollari canadesi e americani, erano conservati altri 36,5 miliardi di lire italiane. Conti gestiti per anni dal commendatore Lorenzo Leone, vicepresidente della Casa della divina provvidenza dal 1972 al 1994: licenziato dopo l'arrivo della nomina del primo commissario apostolico, in una missiva autografa chiarì che le suore disponevano in Vaticano in totale di un conto di oltre 60 miliardi di lire, "dal quale attingere i fondi per finanziare la costruzione dell'Opera in Paraná".

Il sospetto è che il tesoro delle monache sia stato accumulato attingendo direttamente alle casse dell'ente, stornando miliardi dai rimborsi statali ricevuti a fronte delle prestazioni sanitarie per i malati. Una montagna di soldi che invece di rimanere nelle casse dell'ospedale a disposizione dei suoi creditori (in primis l'erario italiano) era stata invece nascosta al torrione Niccolò V. Non è tutto: oltre al conto "ufficiale", allo Ior è stato trovato un altro conto da 27,5 milioni di euro intestato a una fantomatica Casa di procura Istituto suore ancelle della divina provvidenza, altro ente fondato dalla congregazione nel 1999. Un organismo fittizio, secondo gli inquirenti, costituito e poi usato solo allo scopo di occultare le ricchezze delle suore allo Stato italiano e agli altri creditori.

Ma come facevano le suore e alcuni dei loro manager a far scomparire il denaro fin dai primi anni settanta? I magistrati stanno ancora indagando. Ma alcuni anni fa, nell'ambito di un altro procedimento penale contro il commendatore Leone, iniziato nel 1995 e conclusosi a causa della sua morte avvenuta tre anni dopo, l'allora vicaria generale della congregazione, suor Grazia Santoro, rilasciò una dichiarazione illuminante. "Ho visto varie e svariate volte il Pappolla [definito dalla suora come il braccio destro di Leone] prendere una massa di soldi in contanti e su disposizione del Leone Lorenzo, anche in mia presenza, inserirli in diverse scatole di scarpe e preparati per la consegna a qualcuno. Le scatole erano messe in macchina del Leone, che l'indomani si recava a Roma dove aveva contatti permanenti presso lo Ior. A Roma ci andava con la Croma, prima con una Mercedes. Il Leone gode di enormi ricchezze, ingiustificate per il fatto che lui ha sempre detto di non percepire alcun compenso dalla Casa."

È un fatto che allo Ior il dominus del manicomio, grande amico di monsignor Donato De Bonis, gestisca non solo i conti delle suore, ma anche uno intestato direttamente a lui. Una circostanza avvalorata dal vecchio autista del vicepresidente: "Varie volte ho effettuato versamenti di denaro su ordine del Leone sui conti intestati al di lui nipote Procacci Leone Pasquale per varie centinaia di milioni. I soldi me li dava Leone nel suo ufficio," spiegò al pm Domenico Seccia che indagava già allora per riciclaggio, appropriazione indebita e malversazione.

Il commendatore è morto nel 1998, con conseguente estinzione del procedimento penale a suo carico, ma anche i suoi parenti uscirono indenni dall'inchiesta, visto che i reati ipotizzati vennero prescritti definitivamente dal tribunale di Trani nel 2003. Eppure i sospetti che la sconfinata ricchezza di Leone fosse frutto delle ruberie ai danni dell'ospedale restano intatti: un altro conto allo Ior intestato direttamente al manager è arrivato a toccare i 16 miliardi di lire, soldi che sono rimasti al torrione anche dopo il suo decesso. Oggi superano gli 8,3 milioni di euro, e sono intestati ai nipoti Lorenzo e Pasquale Leone Procacci, che li hanno ereditati dalla madre, figlia del commenda. Sorprendentemente i denari sono rimasti al sicuro dietro le mura leonine nonostante le nuove regole imposte da Francesco nel 2013 imponessero che tutti i clienti non aventi diritto fossero espulsi dalla banca. Grazie alle nuove norme della cosiddetta *voluntary disclosure* (strumento voluto dal governo Renzi che consente ai contribuenti che detengono illecitamente patrimoni all'estero di regolarizzare la propria posizione denunciando spontaneamente all'Amministrazione finanziaria la violazione degli obblighi di monitoraggio) i nipoti hanno riportato in Italia il "bottino" accumulato dal commendatore pagando solo una multa. Né i magistrati di Trani né quelli di Roma, né il Vaticano né la Banca d'Italia lo hanno potuto impedire: nonostante la casa di cura sia quasi fallita e centinaia di persone sono state licenziate, i Leone potranno godersi in grazia di Dio i soldi di famiglia.

Dopo i presunti saccheggi degli anni novanta, il sacco dell'ospedale non si è fermato nemmeno all'inizio del nuovo millennio. Arrivano nuovi manager, i metodi cambiano, ma la musica resta la stessa. L'inchiesta culminata con dieci arresti nel giugno del 2015 ha individuato – grazie anche alle risposte alle rogatorie internazionali fornite dalla banca vaticana – non solo enti paralleli fittizi (oltre alla fantomatica Casa di procura le suore hanno aperto anche la onlus Istituto Don Pasquale Uva di Bisceglie e un Istituto Don Uva di Potenza, entrambi inoperanti e con ricchi depositi bancari), ma anche un falso conto per pagare i costi della causa di canonizzazione di don Uva. I pm hanno scovato circa mezzo milione di euro trovati in una filiale di Andria del Banco di Napoli e mai usati per la beatificazione: il postulatore ufficiale ha infatti spiegato di non saperne nulla, e di usare per la causa un altro conto allo Ior. Soprattutto, l'inchiesta ha rivelato che il vecchio manicomio trasformato in istituto di riabilitazione è diventato un enorme centro di potere del gruppo capeggiato dal senatore Azzollini. "L'amministratore di fatto dell'azienda," chiarisce il gip, che individua in Rocco Di Terlizzi e Angelo Belsito (quest'ultimo vicino a Forza Italia ed ex presidente del consiglio comunale di Bisceglie) i due manager di fiducia del ras. Decidono tutto loro: l'assunzione del personale, i rapporti con le banche, la scelta di fornitori amici. Mentre l'ospedale affonda, il direttore Dario Rizzi (anche lui indagato) può continuare a prendere 15 mila euro lordi al mese e può fare assumere l'amante Adrijana Vasiljevic nel nuovo ufficio stampa e relazioni esterne, costituito ad hoc per lei, e trovare posto al fratello Roberto. Mentre suor Marcella nel 2010 assumeva suo cugino Francesco Coluccino come dirigente, Angelo Belsito faceva firmare un contratto alla figlia Teresa, mentre la figlia di un altro onorevole, Raffaele Di Gioia del Psi, viene inquadrata come coordinatore amministrativo nella sede di Foggia. Viene assunta la figlia del sindacalista della Cisl Fps Puglia Nicola Leggieri, e quella del rappresentante sindacale (sempre della Cisl) Michele Perrone, oltre al rampollo di Mario Morlacco, già direttore dell'Agenzia regionale per la sanità della Puglia. La congregazione tra il 2007 e il 2011 ha assunto, nonostante l'azienda fosse praticamente decotta, ben 298 persone. Assunzioni selvagge e senza controllo, che secondo il dirigente pentito Attilio Lo Gatto continuarono anche dopo "il colpo di Stato" di Azzollini: "Dopo che arrivò lui, non è che le cose cambiarono, no... tutti quelli che affluivano dal dottor Rizzi, Angelo Belsito e dal senatore Azzollini venivano subito accettati, venivano subito assunti. Venivano ossequiati, perché erano imposti dal senatore Azzollini". Al quale i giudici contestano di aver indotto il management della congregazione ad assumere tra maggio 2009 e dicembre 2011 ben cinquantasette dipendenti.

2° punto dell'O.d.G. — RICHIESTA DI FINANZIAMENTO ALLA CONGREGAZIONE 'FIGLI DELL'IMMACOLATA CONCEZIONE'

Nell'introdurre l'argomento l'Em.mo Card. Calcagno dice che la questione riguarda il subentro da parte dell'A.P.S.A. in un contratto che lo I.O.R. aveva siglato con la Congregazione 'Figli dell'Immacolata Concezione' per fornire una somma di denaro pari a euro cinquanta milioni, al fine di recuperare le proprietà ospedaliere e non solo ospedaliere messe all'asta a seguito dell'insolvenza che è stata dichiarata. Nel frattempo sono stati compiuti degli atti, non dall'A.P.S.A., ma dalla Congregazione e dal Delegato pontificio, il Card. Versaldi, con il Ministero dello Sviluppo Economico del Governo italiano. Queste trattative sono arrivate ad un punto tale per cui è veramente difficile adesso sottrarsi dagli impegni che sono già stati sottoscritti quando lo I.O.R. aveva dato la sua disponibilità. Le conseguenze che potrebbero derivarne sono molto pesanti oltre a quelle legate alla non conclusione del rapporto con i dipendenti. La indicazione della Segreteria di Stato e della Santa Sede è quella di non lasciare in questo momento la questione incompiuta, data anche la ristrettezza di tempo per arrivare alla conclusione. Probabilmente si potranno avere anche rapporti ulteriori e più approfonditi con i commissari governativi, ma arrivati al punto in cui siamo è davvero problematico fare marcia indietro. Invita quindi l'Em.mo Card. Parolin a prendere la parola. Il Segretario di Stato conferma che per quanto è a conoscenza e ha potuto seguire la cosa è fatta; non c'è possibilità di tornare indietro nel senso che è stato firmato un accordo con il Governo italiano e il retrocedere comporterebbe delle conseguenze a vari livelli. A suo parere occorre ora trovare il modo per proseguire nella maniera più corretta possibile questa operazione. Non si può più tornare indietro e su questo è d'accordo anche il Card. Pell con il quale si è sentito nella mattinata; c'è un contratto firmato che non si può semplicemente rescindere. E' scaturita la proposta che i cinquanta milioni non siano forniti dallo I.O.R., ma dall'A.P.S.A. con la garanzia dell'Ospedale Bambino Gesù. Interviene l'Em.mo Card. Versaldi facendo una sintetica cronistoria. Nel febbraio 2013 ancora Pontefice Benedetto XVI è stato chiamato ad essere il Delegato pontificio per la Congregazione dei 'Figli dell'Immacolata Concezione' i cui dipendenti da tempo lavoravano senza stipendio e si recavano tutte le domeniche all'Angelus a chiedere l'intervento della Santa Sede. La provincia italiana della Congregazione, con l'avvallo, in buona fede si pensa, dei superiori, si era intestata tutti gli ospedali, ma aveva accumulato debiti per più di settecento milioni per truffe e inganni da parte di P. Decaminada, ora agli arresti domiciliari. Era quindi in stato di insolvenza di fronte ai fornitori oltre che non pagare gli stipendi per sei o sette mesi. Benedetto XVI, attraverso la Segreteria di Stato, risponde nominando un Delegato e ovviamente destituisce e sostituisce tutti gli organismi centrali della Congregazione, per cui il

5

Seconda parte della minuta del verbale del collegio cardinalizio dell'Apsa del settembre 2014.

delegato diventa nel contempo il superiore esistendo problemi anche nel campo religioso. I problemi urgenti, gravi e di giustizia, che creavano scandalo verso i dipendenti e il mondo laico erano soprattutto quelli economico-amministrativi degli ospedali. Non essendo il Card. Versaldi competente nella gestione degli ospedali, fu autorizzato dal Santo Padre ad essere affiancato dai tecnici del Bambino Gesù per gli aspetti economico-amministrativi degli ospedali e da Mons. Iannone, vicegerente, come vicario per gli aspetti religiosi. Tutto questo però ad una condizione: la Santa Sede non voleva coinvolgersi in un aiuto materiale, non prometteva cioè di coprire i debiti. I tecnici, conoscendo bene le leggi italiane in materia, videro come via migliore la richiesta del commissariamento della gestione degli ospedali ricorrendo al Governo italiano e precisamente al Ministero dello Sviluppo Economico il quale nominò tre commissari che presero la gestione e fecero l'analisi dello *status quo* perché non esistevano bilanci credibili. Si riscontrò un disavanzo incolmabile; la stima dei beni, compresi gli immobili, era di duecento milioni mentre i debiti ammontavano a settecento milioni. Allora dichiararono lo stato di insolvenza per cui, in base alla procedura italiana, si va all'asta e quindi si riduce di molto il debito. Tutto ciò si protrasse sino allo scorso agosto. Ad un bando di asta presentammo una nostra proposta globale per evitare lo 'spezzatino' cioè che vengano presi vari pezzi lasciando il peggio insoluto. La Santa Sede è stata l'unica a presentare la proposta di concordato preventivo. Nel frattempo, grazie ai tecnici del Bambino Gesù, le attività che erano state ridotte sino al 50%, diminuendosi così anche gli introiti per pagare gli stipendi, ha raggiunto il 100%. Da Pasqua del 2013 si cominciò di nuovo a pagare gli stipendi tanto che i dipendenti si recarono in piazza all'Angelus per ringraziare il Papa. L'attività è tale che rende e permette di pagare gli stipendi. Rimane ora la necessità di evitare che arrivino speculatori perché il commissariamento finisce e qualcuno deve prendere questi beni che sono sotto il Governo italiano e non la Congregazione e tanto meno la Santa Sede. Alla domanda dell'Em.mo **Card. Vallini** se i beni sono di proprietà dell'ospedale, l'Em.mo **Card. Versaldi** risponde che la questione è dibattuta perché c'è il tentativo da parte di qualcuno nel governo, di approfittare dell'errore che i superiori avevano fatto di mettere come rappresentante legale il codice fiscale della provincia italiana della congregazione. Quindi comprenderebbero di per sé tutti i beni. Ci si è battuti attraverso i nostri avvocati per fare un perimetro distinguendo i beni produttivi, commerciali, quali gli ospedali che ricevono soldi pubblici e questi vanno certamente messi all'asta, dalle altre proprietà quale ad esempio la casa generalizia e le comunità in Italia che svolgono opere caritative, che non sono produttive. Mentre si faceva il risanamento delle attività di questi ospedali si è operato per la proposta di concordato che è giunta a questo punto. Questi cinquanta milioni dovrebbero essere sufficienti per recuperare i beni ospedalieri e gli altri che non sono commerciali e cominciare le attività di gestione. L'Em.mo Porporato precisa di essere destinatario di un mandato del Santo Padre di aiutare per rimediare agli errori scandalosi commessi da alcuni religiosi, ma senza assumere da parte della Santa Sede alcun impegno economico. Si è andati quindi alla ricerca di questi cinquanta milioni che si assommano ad altri trenta milioni forniti dal Credito Cooperativo Italiano. Siccome presso lo I.O.R. il Bambino Gesù ha un conto corrente nutrito, si è chiesto allo I.O.R. di fare un contratto con la Congregazione con la garanzia di cinquanta milioni del Bambino Gesù bloccati come conto presso lo I.O.R.. Il contratto prevede a tre anni dall'inizio del prestito la restituzione rateale della somma da parte della Congregazione. Ovviamente il Bambino Gesù ha voluto la garanzia a sua volta onde non correre il rischio di perdere i cinquanta milioni. A garanzia c'è una lettera al Bambino Gesù a firma dell'Em.mo Delegato pontificio in cui si dice che in caso di mancato pagamento il Bambino Gesù diventa proprietario degli immobili che tornano in possesso della Congregazione e che assommano a ottanta o novanta milioni secondo una stima che è stata fatta dai commissari: si è quindi in presenza di una garanzia costituzionale in favore del Bambino Gesù. Questi documenti furono presentati allo I.O.R. prima dell'estate essendo ancora Presidente l'avv. von Freyberg, furono esaminati dai suoi legali e dall'A.I.F. e il 22 maggio ebbe luogo la firma del contratto tra lo I.O.R. e la Congregazione in cui si dice: *"Vi confermiamo l'impegno irrevocabile del nostro Istituto all'erogazione a vostro favore [...] di Euro cinquanta milioni [...] da utilizzarsi per il compimento dell'operazione sopra menzionata"*. In altre parole la somma è garantita dal conto dell'Ospedale Bambino Gesù che a sua volta è contro-garantito dagli immobili della Congregazione. Questo "pacchetto" sottoscritto dal legale rappresentante dello I.O.R., l'Avv. von Freyberg e dal Delegato pontificio, l'Em.mo Card. Versaldi, viene consegnato il 3 giugno al Ministero dello Sviluppo Economico come richiesta di autorizzazione al deposito di una proposta di concordato. Si riprende tutto salvando i posti dei dipendenti, l'identità religiosa, molto importante anche per l'eccellenza professionale essendo l'I.D.I. un Istituto di avanzata ricerca. Ora c'è un tempo ristretto in cui il Governo deciderà se aderire alla richiesta o ripetere l'asta, essendo la prima andata deserta. Nel frattempo è cambiato il vertice dello I.O.R. che decide di sospendere il decreto irrevocabile, precedentemente siglato, chiedendo molta altra documentazione in merito. Il 3 settembre si tiene una riunione con l'Em.mo Card. Segretario di Stato presenti il Dott. De Franssu, il dott. Brülhart (AIF), il dott. Casey (Segreteria per l'Economia) e il Card. Versaldi in cui si è preso atto che la cosa è fatta. L'Em.mo **Card. Caleagno** informa di essere stato convocato anche lui a quella riunione senza però che gli sia stata fornita in precedenza alcuna documentazione. L'Em.mo **Card. Versaldi** puntualizza che esiste un contratto dello I.O.R. e se questo decide di cambiare deve rispondere l'ente e non il delegato pontificio. In quella riunione si è deciso concordemente di andare alla soluzione e cioè che alle stesse condizioni dello I.O.R. l'operazione venga fatta dall'A.P.S.A.. A parere dell'Em.mo Card. Versaldi, anche se la situazione è molto confusa e nebulosa, lo I.O.R. si sarebbe impegnato a livello europeo ad eliminare gradualmente le attività di prestito, in modo da concentrarsi sui servizi di gestione investimenti per la propria clientela e ha ritenuto opportuno che la transazione fosse fatta dall' A.P.S.A., rimanendo invariate le condizioni. L'A.P.S.A. non corre nessun rischio, come non lo correva lo I.O.R. perché nel contratto che passa da un ente all'altro è scritto che i soldi sono garantiti dall'O.B.G. e sono bloccati presso l'A.P.S.A. e in caso di insolvenza la perdita della somma sarebbe da parte del Bambino Gesù che a sua volta non li perdrebbe perché ha la garanzia dei beni immobili della Congregazione. Tutto questo è, a suo parere, un circolo virtuoso al quale, nella contingenza dei tempi ristretti non dà adito ad effettuare un'altra soluzione. Ci si potrebbe rivolgere anche ad una banca italiana per avere – alle medesime condizioni - la somma richiesta, ma non c'è tempo e d'altra parte ne deriverebbe un'immagine negativa per la Santa Sede che, dopo aver firmato un contratto dichiarando il suo impegno a far avere la somma necessaria, si ritirasse. L'Em.mo Card. Versaldi ribadisce essere questa, al punto in cui si è arrivati, l'unica soluzione possibile da lui individuata pur se tecnicamente non è forse la migliore. Se non ci fosse stata la complicazione causata dalla nuova *governance* dello I.O.R., l'A.PS.A. non sarebbe stata coinvolta. Il Delegato pontificio subisce un cambiamento *post contractum* irrevocabile. Chiede che in mancanza di anomalie giuridiche e politiche e di tempo si vada in questa direzione confermando la disponibilità dei tecnici suoi collaboratori nel caso si senta la necessità ad avere ulteriori informazioni. Dal punto di vista tecnico-bancario l'operazione genera per l'A.P.S.A. gli interessi delle rateazioni. Prima di passare alla discussione l'Em.mo Card. Calcagno chiede al Prof. Dalla Sega, avendo studiato la documentazione ed essendo professionalmente competente in merito, se desidera aggiungere qualche altra delucidazione. Il **Prof. Dalla Sega** ribadisce trattarsi di una vicenda complicata che arriva all'ultimo minuto e che presenta grossi rischi qualora non andasse a buon fine. Si tratta di una procedura a evidenza pubblica in quanto siamo di fronte ad una amministrazione straordinaria di una grande impresa in crisi che in questo momento è sotto controllo da parte di tre commissari nominati dal Ministero dello Sviluppo Economico, sono professionisti abituati a gestire situazioni complesse, e questa è una situazione complessa. I rischi sono stati ricordati qualora non si andasse a buon fine. Il rischio maggiore è probabilmente quello di vedersi imputare una turbativa per cui in questo momento è tutto congelato in quanto è stata ufficialmente presentata una proposta di concordato con annessa anche la provvista finanziaria e precisamente i cinquanta milioni che tecnicamente lo I.O.R. ha deliberato: è un'operazione 'bancabile' in termini tecnici. Per quanto riguarda i cinquanta milioni

8

essi sono plenamente garantiti con un tasso d'interesse dignitoso in quanto, a suo parere, i soggetti in campo richiedono una certa considerazione, viste le circostanze. E' un'operazione che potrebbe, come ricordava l'Em.mo Card. Presidente, qualificare ancora di più l'A.P.S.A. nelle funzioni che pare, anche nel processo di riforma, ci si appresta ad attribuirle. Sarebbe tecnicamente un subentro in un contratto che c'è già e come ricordava l'Em.mo Card. Segretario di Stato non si può tornare indietro in quanto è già stata presentata formalmente davanti a pubblici ufficiali una proposta che ha una provvista finanziaria. A suo avviso, entrando a pieno titolo la Santa Sede rappresentata dall'A.P.S.A. con la *moral suasion* della Segreteria di Stato, è bene che anche da un punto di vista professionale i commissari possano interloquire non solo con il rappresentante di chi ha presentato la proposta di concordato ma anche con un professionista che sia esperto in materia fallimentare e specificamente complessa come questa a tutela degli interessi generali della Santa Sede. Sente di dover raccomandare questo come già ricordato sia dal Presidente che dal Delegato pontificio, nel senso che è qualcosa che va al di là dell'ospedale o della Congregazione, ma che a questo punto coinvolge sicuramente la Santa Sede anche a livello "morale". Nel suo intervento l'Em.mo Card. Re esprime la sua grande perplessità dopo aver letto la documentazione fattagli pervenire, d'altra parte vede la necessità di salvare la faccia. A suo parere quanto richiesto non rientra nelle competenze dell'A.P.S.A. bensì *in primis* in quelle dello I.O.R.. L'A.P.S.A. è richiesta di fare un passo che non ha mai fatto esprimendo il timore che non ci sia la competenza. Si chiede se non sarebbe competenza della Segreteria per l'Economia. Quanto alla convenienza tutti i motivi che lui vede sono di non convenienza, dall'altro lato il motivo di convenienza è che essendo già stati fatti dei passi occorre salvare almeno l'I.D.I., visto che il S. Carlo è già perso. Chiede la parola l'Em.mo Card. Versaldi per chiarire che se il Governo italiano ridà l'ospedale questo non viene gestito dalla Congregazione come tale, cioè non ritorna ai Padri, ma è prevista una fondazione con tre membri nominati dalla Santa Sede e dal Delegato pontificio e con la rappresentanza di due padri. Quindi la gestione non torna più ai padri, mentre alla Congregazione resta la proprietà. Precisa inoltre che il passaggio dallo I.O.R. all'A.P.S.A. non è stato subito dalla Segreteria per l'Economia, ma è stato voluto da loro. Nell'incontro del 3 settembre ci si è sentiti dire unanimemente dai dottori de Franssu, Brülhart e Casey secondo la nuova configurazione della riforma tra I.O.R. e A.P.S.A. sarà quest'ultima d'ora in poi a fare operazioni di questa portata. E questa sarebbe appunto la prima operazione. L'Em.mo Card. Calcagno rende noto che quando è stato convocato alla riunione del 3 settembre e si è sentito fare questa ipotesi ha comunicato che avrebbe convocato la Commissione Cardinalizia preposta all'A.P.S.A. solo se la Segreteria di Stato avesse detto di farlo negli interessi della Santa Sede. E questo ha espresso anche al Santo Padre. L'Em.mo

9

Card. Parolin chiarisce che non sono state date ragioni per cui si è fatta richiesta di questo passaggio; sono state date ragioni solo per lo I.O.R. nel senso che non avrebbe potuto assumersi questa operazione. Semplicemente si è detto che se non lo può fare lo I.O.R. lo farà l'A.P.S.A.. Il problema posto dall'Em.mo Card. Re è quello della competenza; bisognerebbe saper rispondere. Ci si chiede se l'A.P.S.A. è competente o no per assumersi questa operazione. L'Em.mo Card. **Presidente** precisa che il contenuto della *e-mail* del Card. Pell non era a proposito di questa operazione, ma in generale e il Santo Padre ha confermato che l'A.P.S.A. va avanti e fa il suo lavoro aggiungendo che Egli desidera la dualità. L'Em.mo Card. **Parolin** informa che il Card. **Pell** non è mai stato favorevole sin dall'inizio a questa operazione e anche questa mattina gli ha detto che prima di dare l'ok si dovrà sentire il Consiglio per l'Economia; quindi è ancora *sub judice* la cosa. La principale obiezione posta dal Card. Pell era di questo tipo: 'siamo sicuri che la Santa Sede non perderà questi cinquanta milioni?'. Anche se c'è la garanzia del Bambino Gesù, lui desidera delle garanzie scritte. A questo proposito l'Em.mo Card. **Versaldi** ribadisce che c'è una lettera sottoscritta dal Delegato pontificio indirizzata al Presidente del Bambino Gesù a garanzia che in caso di non solvenza della rateazione gli immobili valutati più di ottanta milioni vanno al Bambino Gesù. Esiste una firma legale, autorevole, garantita per cui si chiede con quale criterio si mette in dubbio una lettera di garanzia di un cardinale nella funzione di Delegato pontificio. All'obiezione dell'Em.mo Card. **De Paolis** come mai la Santa Sede vuole la garanzia del Bambino Gesù, mentre può farlo direttamente, l'Em.mo Card. **Versaldi** replica che i soldi sono sul conto del Bambino Gesù che è proprietà della Santa Sede. L'Em.mo Card. **De Paolis** puntualizza che il problema non è la Santa Sede, ma è il soggetto che perde i beni in quanto all'interno della Santa Sede vi sono diverse soggettività. L'Em.mo Card. **Versaldi** ribadisce che c'è una garanzia di ottanta milioni su un prestito di cinquanta milioni. L'Em.mo Card. **Vallini** dice di comprendere che al punto in cui si è arrivati per ragioni di immagine e di sostanza, per rispetto di un'opera che è comunque ecclesiastica, trattandosi di un istituto religioso, per il bene della gente, per tutti i "martiri" subiti dal Card. Versaldi in questo tempo bisogna dare una mano per ritornare nella proprietà e quindi dare un futuro. Forse se non avessero fatto l'operazione S. Carlo sarebbe stato meglio. Gli fa un po' problema non da un punto di vista di sostanza, ma di immagine e cioè di come potrà essere letto tutto questo da certa stampa che vede sempre maneggi e imbrogli per attaccare la Santa Sede. Dalla descrizione del Card. Versaldi, indubbiamente tutto è lineare, adesso è impegnata la Segreteria di Stato. Gli faceva un po' problema la questione riguardante la competenza dell'A.P.S.A.; lo I.O.R. avrebbe potuto farlo, ma non lo fa perché ritiene che i prestiti non li farà più. Il punto vero è vedere se questa operazione che sembra lineare, chiara e urgente in qualche modo non venga letta per la presenza

10

181

di un soggetto terzo che è il Bambino Gesù come un'operazione poco chiara. Questa è la sua preoccupazione. Ci fosse stata una soluzione più interna quale la Santa Sede, forse era da preferire; però forse per certi versi è meglio questa. Oltre il punto posto dal Card. Re che dice di condividere, si è competenti per questa operazione? La competenza la dà il Santo Padre perché ha approvato l'operazione e allora va bene l'A.P.S.A. come "banca centrale", peraltro non rischia direttamente i propri soldi perché è pienamente garantita da un altro ente, se pure di proprietà della Santa Sede. A questo punto rimane solo da chiedersi se è o no opportuno, ma qui sembra si sia costretti a farlo, ormai non si può tornare indietro. I danni di immagine, di rapporto politico, diplomatico, giuridico, il problema dei dipendenti sarebbero notevoli da quanto è stato esposto. In questo senso se proprio non c'è altra via e a parere della maggioranza si ritiene che l'operazione non comprometta la Santa Sede sotto ogni profilo, dice di esprimersi favorevolmente. A parere dell'Em.mo **Card. Parolin** l'operazione non dovrebbe compromettere la Santa Sede da un punto di vista finanziario; l'A.P.S.A. riceverà i soldi che dà con l'interesse in quanto c'è la garanzia del Bambino Gesù il quale a sua volta si rifarà sui beni della Congregazione. Forse c'è qualche rischio dal punto di vista mediatico. A questo proposito l'Em.mo **Card. Versaldi** assicura che da quando sono entrati hanno dalla loro parte tutti i dipendenti, tutti i sindacati, e la maggior parte degli organismi di stampa. Ribadisce che ha ricevuto da Papa Benedetto XVI, confermato da Papa Francesco, il compito di aiutare senza far perdere soldi alla Santa Sede. Il 3 settembre si sente dire che lo I.O.R. smentisce un accordo irrevocabile per cui ha chiesto a loro cosa fare a questo punto. L'Em.mo **Card. De Paolis** dice di essere venuto alla riunione con l'idea di dire di sì perché non si può tornare indietro e rimane tuttora dello stesso parere, ma si chiede il perché è sorto questo problema. *Pacta sunt servanda*. Inoltre mentre si chiede all'A.P.S.A. di procedere viene contestata la competenza e altro problema è il fare un giro più lungo invece che più breve. Se i soldi sono garantiti, invece di introdurre il Bambino Gesù, la Santa Sede tramite lo I.O.R. dava i soldi e si garantiva dei beni. A suo parere l'aver introdotto il Bambino Gesù espone a possibili dicerie da parte della stampa. L'Em.mo **Card. Versaldi** precisa che la proposta inviata è riservata al Governo italiano; non è che appaia un contratto tra il Bambino Gesù e la Congregazione; il contratto è tra I.O.R. – in futuro A.P.S.A. – e Congregazione, quindi formalmente nessuno può dire che il Bambino Gesù sta acquistando l'I.D.I.. Il **Prof. Dalla Sega** puntualizza che nei documenti consegnati ai commissari c'è già l'impegno dello I.O.R., quindi se qualcuno volesse costruire un teorema gli elementi ci sono già perché i commissari sono a conoscenza che c'è un impegno dello I.O.R. da questo punto di vista. Forse ha una maggiore reputazione l'A.P.S.A. che non lo I.O.R., se alla fine parteciperà all'operazione. Per quanto riguarda la domanda di come mai lo I.O.R. non lo fa.

11

è molto difficile interpretare questi cambiamenti così repentini. Lo I.O.R. presumibilmente sempre meno sarà un ente che fa operazioni di credito, ma sempre più sarà una sorta di gestore di patrimoni direttamente o indirettamente. Se rimane un'entità all'interno che può fare anche attività di finanziamento a favore di enti istituzionali questa è l'A.P.S.A..

Alle ore 17.15, come preannunciato, il Card. Vallini lascia la riunione a causa di un impegno. Si assenta anche Mons. Mistò.

A parere dell'Em.mo Card. Tauran il fatto che lo I.O.R. non voglia fare questo tipo di operazione è per una questione di immagine e concorda che l'unica soluzione è quella prospettata. L'Em.mo Card. Nicora ritiene si sia di fronte all'ennesimo caso di "pasticcio vaticano" esprimendo il suo dispiacere poiché questo non è il sistema che ordinariamente dovrebbe assicurare il buon andamento degli enti della Santa Sede. Non si capisce perché se qualcuno deve perdere la faccia questa sia l'A.P.S.A., mentre di per sé dovrebbe essere la Congregazione. L'Em.mo Card. Versaldi ribadisce di aver ricevuto un mandato dal Santo Padre ad aiutare una Congregazione che si era macchiata di truffe verso istituzioni come il Governo dal quale ha avuto fondi e li ha spesi per altri scopi e in secondo luogo verso i quasi 1.500 dipendenti. Dice di non capire il perché ci si riferisca all'aspetto mediatico in negativo; a suo parere i sindacati hanno un grosso potere sui mezzi di comunicazione. Non gli pare una brutta faccia aiutare 1.500 famiglie che vengono a chiedere aiuto al Santo Padre e salvare una istituzione eccellente senza far perdere un euro alla Santa Sede, anzi facendo guadagnare qualcosa a perfetta garanzia. Desiderando capire meglio l'Em.mo Card. De Paolis sostiene che, essendo il Bambino Gesù di proprietà della Santa Sede, non si può dire che la Santa Sede non ci metta i soldi, almeno indirettamente. Interviene il Prof. Dalla Sega precisando che, se tutto va a buon fine come ci si augura, la gestione dell'azienda ospedaliera dovrebbe generare delle risorse per ripagare il debito, anche alla luce del piano industriale sottostante all'operazione. Quindi nello scenario positivo i cinquanta milioni di adesso, compresi gli interessi che via via andranno a maturare nei prossimi anni, saranno restituiti all'AP.S.A.. Se si verificasse lo scenario catastrofico ossia se l'operazione non andasse a buon fine in quanto non si generano le risorse per ripagare il debito, l'A.P.S.A. si rivale sui fondi del Bambino Gesù a garanzia e quindi non perde il capitale. L'Em.mo Card. Versaldi puntualizza che l'ipotesi che il Bambino Gesù metta i soldi è solo se la Congregazione, attraverso la sua attività, non riuscirà da qui a tre anni a versare le rate. Non vengono presi soldi dalla Santa Sede, cinquanta milioni sono bloccati a garanzia e si utilizzeranno solo nel caso in cui la Congregazione non sarà in grado di pagare le rate. Nell'ipotesi che lui auspica normale, i soldi sono presi dall'attività degli ospedali che sono ritornati alla Congregazione. L'operazione, se va a buon fine, non usa i soldi della Santa Sede, ma della Congregazione. L'Em.mo Card. Parolin, esprime da parte sua la convenienza che l'operazione vada in porto, essendo partecipe sin dall'inizio. Riferendosi alle perplessità espresse dal Card. De Paolis e all'intervento del Card. Nicora anche lui si chiede perché lo I.O.R. o l'A.P.S.A. non hanno offerto direttamente i soldi rifacendosi come garanzia sui beni della Congregazione senza il passaggio del Bambino Gesù. A parere dell'Em.mo Card. Harvey questo rende l'operazione più sicura perché gestita da persone competenti. L'Em.mo Card. Parolin precisa che è entrato il Bambino Gesù ad offrire i soldi. A parere dell'Em.mo Card. De Paolis è encomiabile il lavoro fatto, ma non corrisponde a verità l'affermazione che non vi sia stato aiuto economico. Che poi questo aiuto economico possa risultare utile anche a chi l'ha fatto, è un'altra questione. L'Em.mo Card. Versaldi puntualizza che il Bambino Gesù diventa titolare degli immobili e il suo patrimonio risulta essere investito non solo in titoli come adesso, ma anche in beni immobili.

Alle ore 18.30 l'Em.mo Card. Versaldi lascia la riunione.

L'Em.mo Card. Re propone di rivolgersi nuovamente allo I.O.R. dal momento che c'è un impegno sottoscritto in base al quale sono stati assunti degli impegni con il Governo italiano: sono tenuti quindi a rispettare gli impegni presi a livello istituzionale assumendone tutta la responsabilità. Aveva firmato l'avv. von Freyberg nella veste di presidente dello I.O.R. e non a nome proprio e quindi lo I.O.R. si trova con questo impegno preso al quale deve ora far fronte. Aveva preso l'impegno e l'impegno obbliga. L'Em.mo Card. Tauran ribadisce che il motivo per lo I.O.R. è solo una questione di immagine. Anche l'Em.mo Card. Parolin si chiede quali sono le ragioni, oltre a quella che lo I.O.R. non fa più prestiti. L'Em.mo Card. Parolin ricorda che lo I.O.R. ha dato le sue ragioni che sono motivi di immagine. Precisa che c'è la competenza, data dal Papa in questo caso, e non essendovi alcun rischio da un punto di vista finanziario, perché l'A.P.S.A. non perderebbe i suoi soldi - anche se il Card. Pell vorrebbe una garanzia scritta che peraltro il Card. Versaldi afferma di averla già data – ma si prevede un rischio mediatico che pare minimo, chiede perché allora non si può procedere con l'A.P.S.A. A parere dell'Em.mo Card. Re è la fisionomia dell'A.P.S.A. che ci perde un po'. Inoltre un domani la Santa Sede oltre che avere due ospedali: il Bambino Gesù e quello a S. Giovanni Rotondo finirà per averne un terzo e la Santa Sede non è competente per provvedere alla sanità in Italia oltre al fatto che gli ospedali sono tutti in deficit. Se fosse stato per salvare il Gemelli converrebbe di più. L'Em.mo Card. Parolin precisa di aver chiesto assicurazioni sin dall'inizio cioè che questa operazione non significa che l'ospedale entri in possesso né della Santa Sede, né del Bambino Gesù che deve concentrarsi sulle sue funzioni attuali. Assicura di aver espresso parere contrario ad un allargamento del Bambino Gesù. Gli è stato chiarito che l'ospedale rientra in possesso

13

della Congregazione e gestito dalla fondazione. Dovrebbe esserci certezza su questo punto. L'Em.mo Card. Re conviene che questo è un aspetto positivo. In merito alla perplessità che la gestione verrà fatta dal Bambino Gesù il Prof. Dalla Sega puntualizza che se nella Fondazione la Santa Sede ha la maggioranza potrà anche dare delle direttive che rispondano a questi orientamenti. L'Em.mo Card. De Paolis dice di essere convinto che non ci sono effetti negativi, ma se lo I.O.R. e la Segreteria per l'Economia non ha più voluto proseguire questa operazione si chiede quali sono le perplessità da loro riscontrate. A fronte del fatto che non è possibile tornare indietro, l'Em.mo Card Re ribadisce che avendo lo I.O.R. firmato il contratto deve mantenere l'impegno preso. L'Em.mo Card. Parolin ricorda che lo I.O.R. ha specificato di non poter compiere l'operazione, non che non vogliono, mentre l'A.P.S.A. la può fare; è questa la differenza. L'Em.mo Card. Tauran chiarisce che un motivo è soprattutto perché non vogliono che il primo atto che fanno sia questo. L'Em.mo Card. De Paolis replica che se hanno inizialmente firmato il contratto e se questo è valido significa che lo potevano fare. L'Em.mo Card. Parolin fa presente che si è in un processo di cambiamento ed anche lo I.O.R. stesso sta subendo tante modifiche per quanto riguarda la sua natura e le sue attività. Esprimendo parere favorevole, l'Em.mo Card. De Paolis ritiene utile fare una riflessione sulla vicenda perché non si verifichi più una cosa del genere. L'Em.mo Card. Calcagno puntualizza che l'A.P.S.A. non si è offerta, ma interviene perché è stata coinvolta. Ha chiesto anche al Santo Padre il suo pensiero e lui ha risposto che, come aveva detto allo I.O.R., lui desidera che la questione sia risolta; non ha voluto andare oltre perché lascia la libertà alla Commissione Cardinalizia preposta all'A.P.S.A. di esprimere il proprio parere. Il Card. Presidente ritiene trattarsi di un problema che deve essere risolto. L'Em.mo Card. Re si dice d'accordo sul fatto che il problema vada risolto; circa la soluzione reitererebbe la richiesta allo I.O.R. di mantenere gli impegni presi perché l'impegno è stato preso a nome dell'istituzione anche se è cambiata la classe dirigente. Se proprio la risposta è negativa allo subentra l'A.P.S.A.. L'Em.mo Card. Calcagno fa presente ancora che se si è arrivati col Cardinale Segretario di Stato a convocare la Commissione Cardinalizia è perché si è valutato che non è possibile insistere con lo I.O.R.. L'Em.mo Card. Parolin ripete che questa è stata la conclusione in quanto da parte dello I.O.R. si è manifestata l'indisponibilità assoluta. Alla proposta dell'Em.mo Card. Calcagno se non è possibile obbligarli a mantenere l'impegno preso o riferirsi alla Segreteria per l'Economia, l'Em.mo Card. Parolin dice che potrebbe farlo solo il Santo Padre. Ci si trova in questa situazione per le ragioni date dallo I.O.R.; a questo punto vale la pena di riflettere se ci siano rischi per l'A.P.S.A. e, pare non ce ne siano, per cui è bene procedere in questo modo, come una formula di emergenza altrimenti non se ne viene fuori. L'Em.mo Card. Calcagno assicura che, per quanto si è potuto

14

verificare, rischi finanziari non ce ne sono; ci potrebbe essere qualche altro rischio. Ribadisce che l'A.P.S.A. non ha chiesto questo subentro, è stato chiesto dalla Superiore Autorità la quale ritiene che l'A.P.S.A. debba fare questa operazione. L'Em.mo **Card. Parolin** assicura che ripresenterà la richiesta allo I.O.R. certo di ricevere un altro diniego.L'Em.mo **Card. Calcagno** conclude la discussione assumendo la proposta del Card. Re: il Segretario di Stato farà ancora un tentativo con lo I.O.R.; di fronte ad una ulteriore risposta negativa subentrerà l'A.P.S.A.. Gli Em.mi Porporati si dicono d'accordo.

La riunione termina alle ore 18.00 con una preghiera.

186

6.

In nome dei soldi

Or puoi, figliuol, veder la corte buffa
d'i ben che son commessi a la Fortuna,
per che l'umana gente si rabuffa;
ché tutto l'oro ch'é sotto la Luna
e che già fu di quest'anime stanche
non poterebbe farne posare una.

DANTE, INFERNO, CANTO VII

La diocesi di Terni ha in pancia un buco di 25 milioni di euro. A un passo dal crac finanziario, nel 2014 Francesco ha chiesto allo Ior di salvare baracca e burattini, ordinando di rilasciare alla curia indebitata 12 milioni di euro. Il papa spera che la somma basti, ma ancora oggi segue con apprensione gli eventi della città umbra: la procura indaga ancora su una presunta associazione a delinquere, che coinvolge il vicario episcopale Francesco De Santis, il presidente dell'Istituto diocesano per il sostentamento del clero Giampaolo Cianchetta e l'ex economo Paolo Zappèlli. L'ex vescovo Vincenzo Paglia è uscito dalle carte processuali con un'archiviazione ("credo anche nella giustizia terrena," ha detto soddisfatto), ma gli uomini che hanno lavorato per anni con lui restano accusati a vario titolo di falso ideologico, turbativa d'asta, truffa e appropriazione indebita, per aver comprato con i soldi della Chiesa un castello, prima proprietà del comune di Narni. Una compravendita truccata, secondo gli inquirenti, che avrebbe permesso al gruppetto una speculazione immobiliare coi fiocchi.

Quello di Terni non è un caso raro. Da Trapani all'America, dalla Campania alla Slovenia, le diocesi sparse nel mondo sono migliaia, ma le indecenze fi-

187

nanziarie finite sul tavolo di Francesco sembrano davvero troppe anche con un calcolo generoso delle probabilità. Negli Stati Uniti, a parte le vicissitudini derivate dalle cause legali multimilionarie contro i preti pedofili perse dalla Chiesa statunitense, negli ultimi anni il potere dei soldi ha bruciato carriere di promettenti tuniche. Nel 2013 monsignor Kevin Wallin è stato accusato dalla procura federale del Connecticut non solo di aver fatto uso di metanfetamina, ma di essersi dato allo spaccio incassando circa 300 mila dollari, spesi per acquistare (tra gli addebiti c'è anche il tentato riciclaggio) un negozio di articoli per adulti. La diocesi di Bridgeport, nel quale il presule serviva messa, lo ha sospeso, ma non è la prima volta che la chiesa della città più grande dello Stato è dovuta intervenire sui suoi sacerdoti: nel 2012 il reverendo Michael Moynihan fu arrestato per aver prelevato denaro della chiesa per le sue spese personali, mentre il suo collega Michael Jude Fay (oggi deceduto) fu condannato per aver rubato 1,3 milioni di dollari dalla chiesa di Darien. La gran parte finita su un suo conto personale, e spesi per viaggi in limousine, vestiti sartoriali italiani, gioielli di Cartier, hotel a cinque stelle, divani, mobili firmati Ethan Allen e tv a schermo piatto. Non sappiamo cosa amasse vederci.

È invece probabile che il film preferito dell'arcivescovo di Atlanta, nello stato americano della Georgia, fosse *Via col vento*. Wilton Daniel Gregory non è mai stato appassionato di cinema, ma nel 2011 capì che grazie al successo di Rossella O'Hara e Rhett Butler avrebbe finalmente potuto costruirsi la casa dei suoi sogni. Quell'anno infatti Joseph Mitchell, nipote ed erede di Margaret, la scrittrice del romanzo omonimo da cui fu tratto il capolavoro di Victor Fleming, decise di lasciare parte importante dei suoi averi proprio alla chiesa della sua città, in tutto circa 15 milioni di dollari. Nel testamento, da uomo probo ma previdente, Joseph aveva imposto che il gruzzolo sarebbe dovuto essere investito solo "per scopi religiosi e caritatevoli".

Il prete, invece, ha fatto a modo suo. Prima ha venduto la sua vecchia casa ad alcuni funzionari e sacerdoti della sua canonica, poi ha deciso di trasferirsi nella villa del pio Joseph, anche questa lasciata alla curia. Un complesso residenziale nel quartiere esclusivo di Buckhead, il più elitario di una città piegata dalla povertà e dal crimine. Dopo un breve sopralluogo il vescovo ha deciso che la struttura per lui era però troppo modesta, e che necessitava di urgente ammodernamento. Con una parte dell'eredità appena avuta dalla sua diocesi, così prima ha demolito la vecchia casa, poi ha costruito una magione di lusso da seicento metri quadrati: dalle fotografie degli interni e dal progetto dell'architetto la lussuosa megavilla immersa tra alberi e prati possiede ogni comfort. Una tecnologica "panic room" per proteggersi da eventuali intrusioni, una cucina industriale con fornello a otto fuochi, varie camere da letto, due sale da pranzo decorate in stile Tudor, alcune stanze adibite a uffici personali, un ascensore interno per non affaticare troppo il prelato. Una ristrutturazione che è costata in totale 2,1 milioni di euro. Il progetto iniziale prevedeva anche la realizzazione di una grande cantina per il vino e l'acquisto di un antico lampadario da piazzare nel foyer. I parrocchiani hanno capito che il loro pastore non era affatto persuaso dalla *nouvelle vague* di Francesco e hanno denunciato lo stile pacchiano. "Sono deluso di me stesso, ho fallito in termini di credibilità e integrità personali e pastorali," ha dichiarato monsignor Wilton, che ha annunciato di voler vendere la sua villa e offrire il ricavato in beneficenza e traslocare in una abitazione più modesta.

Il prete dalle mani bucate

Le follie finanziarie del vescovo di Limburg, città dell'Assia di trentatremila anime, hanno indotto nel 2014 la Società per la lingua tedesca (l'Accademia della Crusca in versione teutonica) a dare il sigillo a un nuovo lemma, Protz-Bischof. Letteralmente "vescovo spaccone", votata dall'istituto come seconda parola dell'anno dopo "GroKo", abbreviazione giornalistica della Grosse Koalition che governa da anni la Germania. Il sacerdote Franz-Peter Tebartz-van Elst per diventare un lemma ha fatto l'opposto di quanto chiesto da Francesco ai suoi monsignori, e ha investito 31 milioni di euro per allargare e ristrutturare la sede vescovile, il centro diocesano St. Nikolaus, i cui lavori inizialmente sarebbero dovuti costare circa 5 milioni, già ritenuti eccessivi dalla comunità di fedeli. Il presule aveva fatto orecchie da mercante, approvando preventivi per la cappella privata, la cantina per le reliquie, il giardino, oltre a fatture per 2,9 milioni destinati alla sua residenza privata. Caratterizzata da una sala da pranzo di 63 metri quadri e una vasca da bagno kingsize da 15 mila euro. Tutti soldi che, secondo la "Süddeutsche Zeitung", sarebbero stati stornati dai capitali della fondazione dell'Opera di San Giorgio, fondi destinati a iniziative sociali, in primis quello per sostenere le famiglie numerose più povere della città.

Dopo le inchieste giornalistiche si è mosso anche papa Francesco. Prima ha sospeso il prete dai suoi incarichi, poi ha nominato una commissione d'inchiesta sulla sestuplicazione delle spese per il nuovo centro. "L'elaborazione del progetto di costruzione nel suo valore va fatta risalire in modo preponderante ai desideri del vescovo, che ha eluso la questione dei costi consapevolmente," spiega la commissione in un report. In realtà, la costruzione del capitolo del duomo già prima dell'insediamento del vescovo spendaccione "era stata pianificata e comunicata con spese irrealistiche", cioè troppo basse. Ma invece di fare marcia indietro Tebartz-van Elst ci ha marciato, comunicando ai fedeli costi inferiori su carta e spendendo cifre astronomiche. Anche i componenti del consiglio amministrativo, sorta di comitato di controllo, sarebbero colpevoli per non aver vagliato con attenzione le ope-

razioni finanziarie del vescovo. In Germania la trasparenza resta comunque un'utopia: il "Der Spiegel" ha
contattato le ventisette diocesi tedesche chiedendo di
rendere pubbliche entrate e uscite delle chiese. Tranne due, tutte le altre si sono rifiutate di fornire qualsiasi informazione sul loro stato patrimoniale. Anche la
procura di Amburgo ha investigato su Tebartz-van
Elst, in merito a un'inchiesta parallela su una presunta dichiarazione falsa data sotto giuramento: durante
una deposizione il monsignore aveva assicurato di
aver viaggiato in business in un volo diretto in India
per visitare una comunità di poveri. In realtà, grazie ai
punti "tipo Millemiglia" del suo vicario generale Franz
Kaspar, aveva ottenuto un upgrade in prima classe,
dove servono champagne e pasticcini. I giudici hanno
archiviato il caso dopo che il prete ha deciso di pagare
una multa da 20 mila euro.

Il 26 marzo 2014 papa Francesco ha deciso che il
vaso era colmo, che ha "accettato le dimissioni" del
"Protz-Bischof", accusato dai fedeli anche di "uno stile
autoritario". Ma il vescovo non è finito in un convento
sperduto come molti in Germania si aspettavano: da
aprile 2015 si è infatti trasferito a Roma, nella Santa
Sede, assegnato al Pontificio consiglio per la Promozione della nuova evangelizzazione come nuovo delegato.
Un incarico che non esisteva e inventato apposta per
lui. "Van Elst si aggiungerà al segretario e al sottosegretario e dovrà tenere i contatti con le conferenze episco-
pali dei vari paesi e predisporre i catechismi, senza per
questo apporre la sua firma sui testi," ha chiarito il presidente del dicastero Rino Fisichella. Parole che non
hanno placato le ire dei tedeschi: di fatto il vescovo è il
numero tre del ministero pontificio.

Tv porno in Slovenia

Gli scandali teutonici, però, sembrano poca cosa di
fronte a quanto è riuscito a combinare una minuscola

diocesi slovena. La basilica che preoccupa Francesco e i suoi uomini di fiducia, George Pell e Pietro Parolin su tutti, è quella di Maribor, cittadina nel Nord della Slovenia famosa per ospitare una gara di slalom della Coppa del Mondo di sci.

La città è diventata improvvisamente celebre in Vaticano grazie a uno dei più gravi crac finanziari della storia della Chiesa: l'arcidiocesi, oltre a pascolare le anime di poco più di centomila fedeli, si è infatti lanciata negli ultimi anni in investimenti spericolati. Sarà stata l'incompetenza del vescovo, sarà stata la crisi economica mondiale unita a qualche colpo di sfortuna, fatto sta che la chiesetta e le società da lei controllate sono riuscite ad accumulare la bellezza di oltre 800 milioni di euro di debiti. Un buco mostruoso che attualmente nessuno è in grado di coprire: il rosso è pari al 2 per cento dell'intero prodotto interno lordo sloveno e, per fare un raffronto, è tre volte superiore alle entrate registrate nell'ultimo bilancio del Vaticano. Per evitare il default lo Ior nel 2014 ha girato alla diocesi 40 milioni di euro, per volontà di Francesco in persona, ma è come tentare di rattoppare lo squarcio del *Titanic* con un pollice. Come è stato possibile che una minuscola arcidiocesi abbia accumulato in una ventina d'anni debiti degni di una grande multinazionale? Chi vi scrive nel 2011 ha consultato documenti riservati e parlato con autorevoli fonti slovene, che hanno descritto una situazione catastrofica. Andiamo con ordine, partendo dalla fine. Da quando a San Pietro s'accorgono dell'enormità del bubbone causato dalle avventure finanziarie dell'arcivescovo Franc Kramberger. La scoperta avviene quasi per caso, quando a fine 2007 una tv controllata dalla Chiesa slovena inizia a trasmettere programmi pornografici. Sui giornali locali scoppia il pandemonio. A Roma sono nervosi, anche perché negli stessi giorni l'arcivescovo di Maribor manda al Vaticano una strana richiesta: vuole essere autorizzato ad aprire due mutui da 5 milioni di euro l'uno.

Le gerarchie sentono puzza di bruciato, chiedono lumi al nunzio apostolico in Slovenia. L'ambasciatore del papa intuisce che dietro ai filmini hard che la tv dei preti mette in onda per qualche punto di share in più c'è dell'altro, e qualcuno inizia a sussurrare di esposizioni milionarie e investimenti folli. Monsignor Mauro Piacenza, allora segretario della Congregazione per il clero, comincia a chiedere alla diocesi informazioni più dettagliate. Prima sulla società di comunicazione T-2, quella che controlla la tv, poi su tutti i conti e le varie holding della diocesi. Le risposte arrivano dopo mesi, e non risultano soddisfacenti: Piacenza avverte l'allora segretario di Stato Bertone, e il Vaticano decide di spedire a Maribor un ispettore di fiducia per studiare le carte da vicino. Gianluca Piredda, esperto di bilanci e attualmente braccio destro di Versaldi all'Idi, arriva in Slovenia all'inizio del 2010 con il titolo di "visitatore apostolico". Ci mette poco a capire che il dissesto dell'arcidiocesi è di proporzioni bibliche.

Le sue conclusioni vengono spedite in un rapporto a Roma. La piccola chiesa ha fatto il passo più lungo della gamba, creando un impero economico di cartapesta. L'avventura parte all'inizio degli anni novanta, quando la diocesi di Maribor costituisce la banca Krek (in dieci anni diventa il decimo istituto del Paese, nel 2002 viene venduto) e una società commerciale (la Gospodarstvo Rast). Passa qualche anno, e nascono due holding per investimenti e business assortiti, la Zvon 1 e la Zvon 2, controllate a loro volta dalla Rast.

Le società comprano immobili, altre società per azioni, fanno ipoteche con le banche da cui si fanno prestare decine di milioni, decidono di investire non solo in finanziarie e aziende sicure, ma pure in settori tecnologici come le fibre ottiche e la telecomunicazione. Solo la holding Zvon 1 ha "investimenti a lungo termine pari a 416 milioni di euro," si legge nel rapporto conoscitivo, "e debiti fuori bilancio pari a 524 milioni". Nulla è andato come previsto: "C'è la possibilità reale," conclude il dossier, "che tutte le società indicate vadano verso il fallimento. Le conseguenze sarebbero pesanti".

Tra i vari investimenti della Chiesa slovena c'è di tutto: 94 milioni per le azioni della banca Abanka, 72 milioni per l'azienda Helios specializzata in materiali da costruzione, 13 milioni nella società di gestione Krek, 18,8 nella Petrol (energia, gas e petrolio), altri 22 nella misteriosa Cinkarna, il cui core business è la produzione e la distribuzione di "pigmenti di diossido di titanio". Ci sono anche aziende all'estero, in Croazia, come la Sole Orto, a cui sono stati girati 20 milioni di euro.

L'investimento "più critico", si legge, è quello nella T-2 (120 milioni complessivi), una società che si definisce su Internet, senza modestia, "il Futuro". È controllata quasi al cento per cento dalle due holding ecclesiastiche, e le sue attività si concentrano su servizi di telefonia, Internet e televisione veicolati ai clienti attraverso una rete in fibre ottiche costruita ad hoc. "Il Futuro", però, non arriverà mai: tra passività finanziarie e per il completamento della rete servono ancora 200 milioni di euro, mentre i debiti a breve termine superano di nove volte le attività correnti. La società di consulenza Kpmg, che per conto del Vaticano ha fatto un'expertise, dà per perso oltre il 70 per cento del capitale investito: il valore stimato a giugno 2010 oscillava tra i 24,6 e i 28,6 milioni di euro. Un'inezia. "E in questo momento," spiegava il tecnico del Vaticano, "non c'è nessuno interessato all'acquisizione della T-2 che offrirebbe un importo più elevato."

Come in un domino, il crac rischia di partire proprio da qui: sarà difficile salvare la T-2, e a quel punto servirà un miracolo anche per salvare la Zvon 1. A catena, la sopravvivenza della sorella Zvon 2 (partecipata dal mercato per circa il 35 per cento, quota divisa tra circa 30 mila piccoli risparmiatori) è appesa a un filo: i debiti fuori bilancio, in questo caso, superano i 189 milioni di euro. Se fallissero le due holding, anche la capogruppo Gospodarstvo Rast non avrebbe scampo.

1. Introduzione

L'analisi finanziaria dell'Arcidiocesi di Maribor è stata effettuata in base alla documentazione presentata da parte dei responsabili dell'Arcidiocesi. L'Arcidiocesi di Maribor non è obbligata a presentare relazioni in conformità con la legislazione slovena. Nonostante questo la contabilità dell'Arcidiocesi di Maribor è organizzata rispettando i principi contabili sloveni in vigore dal 2006.

Per il fatto che non sono obbligati alla revisione ne alla presentazione delle relazioni, alcune voci di bilancio risultano poco chiare, ciò è poco importante però per la comprensione di questa relazione.

La contabilità dell'Arcidiocesi di Maribor ci ha permesso di comprendere lo stato patrimoniale al 31.8.2010. Il nostro compito è stato quello di verificare con la massima attenzione quale fosse la reale situazione patrimoniale dell'Arcidiocesi di Maribor. In particolare abbiamo concentrato la nostra attenzione sui seguenti argomenti:
- immobili
- investimenti finanziari a lungo termine
- passività finanziarie
- passività fuori bilancio (passività potenziali)

Ancora una volta sottolineiamo che la nostra analisi si basa sulla documentazione presentata dai responsabili dell'Arcidiocesi di Maribor.

2. Sintesi dell'analisi dell'Arcidiocesi di Maribor

- L'Arcidiocesi di Maribor è in serie difficoltà finanziarie a causa delle difficoltà della sua parte commerciale, che fa parte del gruppo della società Gospodarstvo Rast d.o.o.
- Se in breve tempo non arrivano nuove garanzie, apporti di capitale o altri elementi finanziari utili per salvare le società Zvon ena holding d.d., Zvon dva holding d.d., T-2 d.o.o. e Gospodarstvo Rast d.o.o. c'è la possibilità reale che tutte le società indicate vadano in fallimento, le conseguenze per l'Arcidiocesi di Maribor sarebbero pesanti: mancato rimborso dei prestiti e la conseguente perdita degli immobili ipotecati da parte delle banche commerciali e altri elementi del patrimonio utilizzati come garanzia per il rimborso dei prestiti.
- In base alla revisione notiamo che l'investimento finanziario fatto nella società controllata Gospodarstvo Rast d.o.o. non ha, in questo momento, nessun valore e di conseguenza il capitale indicato è maggiorato di questo valore.
- Il prestito a breve termine concesso alla società Gospodarstvo Rast d.o.o., in questo momento non è restituibile pertanto si dovrebbe correggere il suo valore.
- E' molto probabile, che la garanzia concessa in solido alla Raiffeisen banca, dove alcune persone fisiche hanno richiesto (ed ottenuto) prestiti per la costituzione delle società Betnava d.o.o. e Dom Studenice d.o.o., si trasformerà alla scadenza, nel 2013, in debito per l'Arcidiocesi di Maribor proprio per la natura stessa del contratto di garanzia.
- I punti elencati hanno un effetto sul capitale pari a 22.894 TEUR[1], di questo la svalutazione degli investimenti nella società Gospodarstvo Rast d.o.o. è pari a 15.329 TEUR, la svalutazione degli investimenti finanziari a breve termine indicati come indebolimento dei prestiti concessi alla società Gospodarstvo Rast d.o.o. è pari a:

---

[1] Tutti gli importi sono indicati in migliaia di Euro

La crisi dell'arcidiocesi di Maribor nella relazione del visitatore apostolico.

3.622 TEUR e le passività indicate come progetti Betnava d.o.o. e Dom Studenice d.o.o. sono pari a: 3.943 TEUR, tali investimenti, a causa delle circostanze non favorevoli, non hanno nessun valore anche se diventassero diretta proprietà dell'Arcidiocesi di Maribor. Per questo motivo riteniamo che il capitale dell'Arcidiocesi di Maribor al 31.8.2010 è pari a 6.094 TEUR e solo a condizione che non ci siano ulteriori passività potenziali.

- L'Arcidiocesi di Maribor ha delle passività fuori bilancio (conti d'ordine) estremamente elevate, una parte importante di queste è rappresentata dalle lettere di Patronage. Dall'analisi è evidente che le dichiarazioni sono più moralmente vincolanti che giuridicamente. Tenendone conto le passività fuori bilancio si riducono notevolmente.

3. Presentazione dell'Arcidiocesi di Maribor

L'Arcidiocesi di Maribor nasce nel 2006 dalla divisione della Diocesi di Maribor con circa 800.000 abitanti in tre diocesi, vale a dire nell'Arcidiocesi di Maribor con il 51,74%, nella Diocesi di Celje con il 34,43% e nella Diocesi di Murska Sobota con 13,83% dei credenti dell'ex Diocesi di Maribor. Con questa divisione la Diocesi di Maribor è diventata Arcidiocesi e sede Patriarcale ed il patrimonio della Diocesi di Maribor è stato suddiviso proporzionalmente in base alla percentuale dei credenti. Nell'anno 1992 la Diocesi di Maribor ha costituito la banca pan-slovena che dopo dieci anni ha raggiunto il decimo posto nel paese. Accanto alla banca Krek è stata costituita anche una società per le privatizzazioni, da qui sorgono Zvon ena holding d.d. e Zvon dva holding d.d., che svolgono l'attività delle holding.
A Zvon ena holding è stata trasferita la maggior parte dei beni, a Zvon dva holding invece la parte meno prestigiosa e in minor quantità.
Nel 2002 l'Arcidiocesi di Maribor ha venduto la Banca Krek alla Raiffeisen Zentral Bank di Vienna.
La maggior parte del denaro ricevuto dalla vendita, è stato investito dalla Diocesi di Maribor per l'acquisizione di beni nell'ambito della società di gestione Krek. Nel 2005 in base a questa proprietà e con un indebitamento pari a 27.221 TEUR, attraverso la società Gospodarstvo Rast, ha acquisito il 53% di Zvon ena holding.
Una parte importante delle attività dell'Arcidiocesi di Maribor è legata anche con la gestione degli immobili.

4. Bilancio dell'Arcidiocesi di Maribor

Bilancio al 31.8.2010 in TEUR

Voci di bilancio	31.8.2010
Risorse	70.290
Immobilizzazioni	64.613
Immobilizzazioni immateriali	1.883
Immobilizzazioni materiali	38.547

3

Dopo il rapporto di Piredda, la prima testa a cadere è stata quella dell'arcivescovo di Maribor Franc Kramberger, sostituito da Benedetto XVI da monsignor Turnšek. L'altro co-autore del disastro è stato individuato nella figura del direttore dell'amministrazione economica della chiesa di Maribor, l'uomo d'affari Mirko Kravosec, economo della diocesi dal 1985. "Credo fermamente che la nostra buona fede ci aiuterà a superare, nello spirito fraterno e con aiuto reciproco, anche questa prova," ha scritto Kravosec al Vaticano in una relazione prima di essere silurato. Non sappiamo se le preghiere serviranno a salvare la Chiesa slovena, ma di certo la relazione descrive bene l'imperizia degli uomini del clero sloveno e dei loro collaboratori. Per espandere "l'attività pastorale" e le "attività di carattere umanitario e caritatevole" e per aprire "nuovi istituti di istruzione" sono state fatte operazioni milionarie ingenue e poco prudenti. Affari andati avanti per lustri e lustri, senza mai che il Vaticano fosse avvertito: solo alla fine del 2007 fu richiesto il permesso per l'apertura dei due mutui. Eppure la Santa Sede, per ogni operazione superiore al milione di euro, deve dare un'autorizzazione scritta. L'economo silurato, nella relazione, cade dalle nuvole: "Consideravo che l'approvazione non fosse necessaria... Si pensava che il limite era per i singoli prestiti, non per il debito cumulativo, e che tali limiti erano da considerarsi solo per la diocesi e non per le società di proprietà o collegate a essa".

La linea difensiva del Vaticano, in caso di crac delle varie società e di esposizioni debitorie, si baserà proprio sul mancato rispetto delle regole: senza un via libera da Roma tutte le operazioni della diocesi slovena, secondo la Santa Sede, sono da considerarsi irregolari dal punto di vista giuridico. In pratica in caso di default i trentamila risparmiatori, le banche e gli altri creditori non potranno rivalersi sullo Stato Pontificio: i contratti con la chiesa di Maribor verranno considerati carta straccia. Di sicuro chi ha investito nelle società del clero sloveno rischia di perdere denaro. I piccoli investitori, in primis.

Ma anche istituti importanti: la Nova Ljubljanska Banka, prima banca della Slovenia con filiali anche in Italia, ha prestato, per la creazione della televisione digitale coinvolta nello scandalo porno, circa 85 milioni di euro, altre banche sono esposte per decine di milioni. Anche la chiesa di Maribor potrebbe perdere quasi tutte le sue proprietà e i beni dati in garanzia: se la Raiffeisen Banka per concedere tre prestiti ha ottenuto azioni, la cessione dei canoni di locazione di alcuni uffici di proprietà del clero, terreni e appartamenti, Unicredit ha prestato alla chiesetta 11,2 milioni, e come pegno ha avuto – oltre ad azioni della holding Zvon 1 – l'ipoteca sullo stupendo monastero di Studenice del XII secolo e su un laboratorio di organi musicali. Oltre a prestare 40 milioni attraverso lo Ior, Francesco ha fatto cadere molte altre teste. Anche l'uomo messo da Benedetto XVI, Marjan Turnšek, dopo due anni di comando è stato fatto fuori, stessa sorte per il vescovo di Lubiana Anton Stres. Colpevole, secondo il Vaticano, della mancata supervisione delle operazioni dei disinvolti prelati. Il sostituto, come nel caso della diocesi di Terni, è un francescano. Bergoglio spera che segua i dettami enunciati nella prima regola composta da san Francesco nel 1224: "Nessun frate, ovunque sia e dovunque vada, in nessun modo prenda con sé o riceva da altri o permetta che sia ricevuta pecunia o denaro, né col pretesto di acquistare vesti o libri, né per compenso di alcun lavoro, insomma per nessuna ragione, se non per una manifesta necessità dei frati infermi; poiché non dobbiamo avere né attribuire alla pecunia e al denaro maggiore utilità che ai sassi".

Lusso francescano

Ultimamente, però, i frati minori non sembrano essersi comportati come si conviene all'ordine del patrono d'Italia. Negli ultimi mesi del 2014 e nei primi del 2015 vicende finanziarie sorprendenti e scandali di provincia ne hanno macchiato il buon nome. Il poverello di Assisi, portato in gloria e magnificato dai versi di Dante che nella *Divina Commedia* ne fece tessere le lodi dal domenicano Tommaso d'Aquino, è il "Santo" per antonomasia. Il tratto distintivo è l'abbandono della ricchezza, il rifiuto dell'opulenza, quello del religioso che si spoglia dei suoi beni per professare al meglio la sua fede. La storia del buco da circa 100 milioni di euro provocato dalla curia generalizia di Roma sembra un contrappasso difficile da inventare anche per il poeta fiorentino.

L'Ordine è sull'orlo del crac non perché ha regalato tutti i suoi soldi ai bisognosi, o investito tutto in opere di bene. Il buco è stato provocato da investimenti folli fatti sui mercati, pare per colpa di società terze a cui i frati si erano affidati, che hanno impiegato i denari di san Francesco in operazioni ad alto rischio finanziario. Oltre che a causa dei giochi in Borsa, il buco si è originato da alcune spese fuori controllo, come quelle per la ristrutturazione dell'Auditorium Antonianum (costata circa 4 milioni di euro, è un centro congressi con ristorante aperto agli esterni vicino via Merulana, a Roma) e soprattutto quella di un hotel di lusso dietro piazza San Pietro, Il Cantico. La struttura un tempo era adibita a orfanotrofio. Costruito dai francescani a via del Cottolengo, fu chiuso nel dopoguerra per riaprire qualche anno fa come residence di lusso. In tutto i frati per mettere a reddito il loro immobile hanno speso una ventina di milioni, cifra altissima per un rifacimento: oggi la struttura è iper hi-tech (l'arredamento è costato 15 mila euro per ogni stanza, con doppio impianto di areazione), e offre ai suoi ospiti un ristorante gourmet (c'è anche un pastificio e una gelateria), una cantina e un bar-store dove i frati vendono saponi ed essenze biologiche con incise le preghiere del santo (i francescani ne hanno comprati a tonnellate, con ordini vicini ai 100 mila euro). Un luogo dove manager e imprenditori possono camminare per 200 euro a notte nei "20.000 mq di spazi verdi con un giardino e un rigoglioso bosco dove poter passeggiare e meditare..." esplica la brochure dell'albergo. Che non dice che riammodernare il giardino è costato più di un milione di euro. Mentre scriviamo l'albergo è in vendita, e ci sono trattative avviate tra cui quella con un fondo arabo.

La finanza creativa dei poverelli diventa dominio pubblico nel dicembre 2014. Quando l'americano padre Michael Perry, nuovo ministro generale dell'Ordine, dopo un'indagine interna sceglie di denunciare la bancarotta sul sito ufficiale dei frati prima che lo faccia la stampa. Una lettera choc che frantuma l'orgoglio della missione, i santi propositi e lo spirito delle origini. "La curia," scrive Perry, "si trova in una situazione di grave, sottolineo grave, difficoltà finanziaria, con un cospicuo ammontare di debiti. È emerso che i sistemi di vigilanza e di controllo finanziario della gestione del patrimonio dell'Ordine erano o troppo deboli oppure compromessi, con l'inevitabile conseguenza della loro mancanza di efficacia rispetto alla salvaguardia di una gestione responsabile e trasparente." Una situazione originata da "un certo numero di dubbie operazioni finanziarie, condotte da frati cui era stata affidata la cura del patrimonio dell'Ordine, senza la piena conoscenza e il consenso né del precedente né dell'attuale Definitorio generale". La conclusione suona come una sentenza: "La portata e la rilevanza di queste operazioni hanno messo in grave pericolo la stabilità finanziaria della curia generale".

Il ministro Perry chiarisce che tra i responsabili ci sono "alcune persone esterne, che non sono membri dell'ordine" e che si è deciso di "chiedere l'intervento delle autorità civili, affinché esse possano far luce in questa faccenda". L'unico a dimettersi, motivando la scelta con ragioni di salute, è stato padre Giancarlo Lati, per anni economo generale e rappresentante legale dell'Ordine. Era lui il responsabile dell'albergo, e il gestore della casa francescana. Dopo aver contratto alcuni mutui e investito nel Cantico e nell'auditorium più soldi di quanto inizialmente preventivato, il prete avrebbe cercato di rientrare investendo liquidi sui mercati internazionali a tassi fissi garantiti. Sarebbe invece caduto nella rete di affaristi laici, che si è impossessata del portafoglio investendolo in speculazioni finanziarie a rischio. Con le conseguenze di cui abbiamo scritto.

Se padre Giancarlo è oggi finito in un convento in Umbria, è necessario ricordare che le scelte finanziarie che hanno provocato il crac sono state fatte quando ministro dell'Ordine era José Rodríguez Carballo. Lo spagnolo ha lasciato il ministero appena arrivato Bergoglio in Vaticano, perché promosso segretario della Congregazione per gli istituti di vita consacrata. È stato paradossalmente proprio lui a firmare insieme al suo prefetto le nuove "linee orientative" che i vari ordini religiosi devono seguire in modo da evitare nuovi scandali finanziari e finanze allegre. Come si dice, l'uomo giusto al posto giusto.

Preti con 102 auto

L'annus horribilis dei francescani ha causato altri dispiaceri ai fedeli a marzo 2015, quando padre Bernardino Maria e padre Pietro Maria sono stati indagati per truffa e falso ideologico dalla procura di Avellino in un'inchiesta che mentre scriviamo è ancora in corso. Protagonisti, stavolta, alcuni francescani dell'Immacolata (la casa madre dell'istituto fondato da padre Stefano Maria Manelli nel 1970 e riconosciuto dalla Chiesa cattolica nel 1990 è a Frigento, vicino Avellino), le cui condotte hanno svelato che anche una congregazione piccola come quella campana possiede ricchezze per decine di milioni di euro. E che per il controllo dello sterco del diavolo perfino chi promette di spogliarsi di ogni avere può cadere in tentazione e commettere illeciti.

La bufera arriva, improvvisa, quando il gip del tribunale dispone il sequestro di case e conti correnti per un valore di 30 milioni (poi dissequestrati) dopo che la procura, guidata da Rosario Cantelmo, aveva ipotizzato una megatruffa sui beni dell'ordine. Un'inchiesta partita dalla denuncia di Fidenzio Volpi, un frate cappuccino mandato come delegato apostolico dal Vaticano, che l'11 luglio del 2013 aveva deciso di commissariare la congregazione a causa di una serie di guerre intestine tra confratelli per questioni legate alla dottrina. Tensioni e dissidi interni tra il fondatore e alcuni adepti andavano avanti da anni, in merito alla decisione di cambiare in senso tradizionalista alcuni riti, riprendendo un uso esclusivo del messale antico. Litigi di cui lo stesso Benedetto XVI era a conoscenza.

L'inchiesta, però, ha svelato vicende che nulla hanno a che fare con la diversa concezione della messa. Perché, per non perdere il controllo sul patrimonio all'arrivo del nuovo commissario, i due preti indagati (forse insieme ad altre persone che non sono state ancora individuate) avrebbero scritto due verbali assembleari ideologicamente falsi in modo da modificare lo statuto e spostare le proprietà dall'istituto ad alcune associazioni esterne alla struttura religiosa. Un disegno ordito ad agosto 2013, un mese dopo il commissariamento della congregazione. La manovra denunciata da Volpi "avrebbe impedito," spiega la procura, "al commissario apostolico di esercitare le prerogative che gli statuti assicurano al governo dell'ordine religioso". Non solo. I due frati "consentendo l'ingresso di laici nelle compagini associative (laici non vincolati all'obbedienza verso la gerarchia ecclesiastica, all'epoca e tuttora rappresentata dal commissario apostolico)," avrebbero raggiunto, "in maniera fraudolenta il risultato di sottrarre le due associazioni a ogni forma di controllo da parte dell'ordine religioso di cui costituiscono da sempre una diretta espressione".

Ma a stupire, oltre le beghe interne e le lotte di potere, è innanzitutto la mole patrimoniale in possesso dei poverelli del paesino campano votati a preghiera e penitenza. Se fratel Italo Cammi nella *Leggenda francescana dell'Immacolata* spiegava che i frati della congregazione "si riposano sul letto di tavole senza giaciglio nei mesi meno freddi" e che bisognava "sopportare il duro freddo nei lunghi mesi invernali con temperature di frequente sotto lo zero, si va con i sandali a piedi nudi, sotto l'acqua e nella neve", i magistrati nell'anno di grazia 2015 hanno sequestrato alle due associazioni cinquantanove fabbricati tra appartamenti, case e conventi sparsi in Italia, diciassette terreni, cinque impianti fotovoltaici, un impianto radiofonico e cinematografico. E 102 autovetture.

Controsenso vuole che le associazioni al centro dell'inchiesta erano state create proprio perché l'istituto religioso dei frati francescani dell'Immacolata, intestandosi tutto, non contravvenisse al voto di povertà. Dal lavoro del commissario emergono anche operazioni per circa un milione di euro, effettuate dal 2008 al 2012, con l'emissione di assegni circolari e bancari in favore di beneficiari sconosciuti e senza causali chiare. Quando è stato raggiunto da una richiesta di spiegazione da padre Bernardino Maria, ex economo della congregazione, da sempre al vertice di entrambe le associazioni, non è arrivata nessuna risposta. La truffa ipotizzata è di un milione di euro, pari all'entità del danno patrimoniale subìto dalle due associazioni.

Spalloni e mattoni

Le cronache l'hanno raccontata così: un giorno di inizio 2015, un sacerdote bosniaco si trova al valico di Como-Brogeda. Niente di strano, se non fosse che il prete è imbottito di banconote – e che viene fermato dalla Guardia di finanza. Il presule dice ai militari di trasportare meno di diecimila franchi svizzeri, entro il limite consentito dalla legge: ma i finanzieri, rovistando nella sua valigia, trovano in mezzo ai vestiti e al beautycase due buste con dentro 50 mila franchi svizzeri e altre banconote per un totale di 51.004 euro. Il 50 per cento del denaro finisce sequestrato dagli agenti. La provenienza del cash? Ignota.

"In un momento in cui l'aria della corruzione arriva dappertutto bisogna far crescere l'economia dell'onestà," ha detto Francesco ai banchieri italiani il 12 settembre 2015, invitandoli ad aiutare la parte più debole della società. Lui la lotta contro i mercanti del tempio l'ha appena iniziata, ma in due anni di pontificato ha capito che i nemici della sua rivoluzione sono tanti, e rischiano di moltiplicarsi.

Tornando in Campania un'altra storia di soldi e truffe coinvolge alcuni religiosi di Santa Romana Chiesa. Monsignori che avrebbero investito somme importanti per costruire, invece di una struttura di accoglienza per minori (il nome del progetto, inequivocabile, ipotizzava la creazione del Villaggio del Fanciullo), un albergo per turisti. Il finanziamento era stanziato dalla Regione Campania ed è così finito nel mirino sia dei giudici penali sia della magistratura contabile, che hanno investigato un pezzo grosso della curia campana: l'arcivescovo emerito di Salerno Gerardo Pierro. Condannato in primo grado nel 2012 a dieci mesi di reclusione, è stato poi archiviato per sopraggiunta prescrizione (lui ha sempre detto di essere innocente e aveva chiesto di rinunciarci all'inizio del processo), mentre a don Comincio Lanzara, il suo cerimoniere, il giudice ha inflitto in secondo grado quattro mesi di carcere. Il pm inizialmente aveva chiesto per lui ben cinque anni, perché ipotizzava che il prete si fosse anche appropriato di 300 mila euro, parte della somma guadagnata dalla vendita di un altro immobile della curia. Il 20 marzo 2015 sono stati condannati anche tre tecnici del comune e monsignor Vincenzo Rizzo (a quattro mesi) all'epoca a capo dell'ufficio economato della curia di Salerno.

Nella vicenda ballano due milioni e mezzo di euro, fondi pubblici della Regione Campania che dovevano essere spesi per una destinazione sociale, e che alla fine sono stati usati per tutt'altro scopo. Un documento inedito della Corte dei Conti dell'aprile 2014, ossia l'invito a dedurre per il prelato, racconta nei dettagli la truffa organizzata dal gruppetto di preti della curia di Salerno, da sempre proprietari di un complesso edilizio, chiamato la Colonia San Giuseppe. Nel 2001 decidono che è arrivato il tempo di mettere a posto edifici fatiscenti e vecchie strutture disabitate, e partecipano a un bando regionale. Un accordo quadro con cui lo Stato italiano finanziava con soldi pubblici opere "per la promozione dell'offerta sociale nelle aree degradate, il miglioramento della qualità urbana o il recupero e la riqualificazione del patrimonio storico culturale".

Monsignor Pierro scrive nella domanda che il beneficiario dei lavori sarebbe stata "l'intera collettività", e chiede 2,3 milioni di euro. La Regione crede nel progetto dei preti, e stanzia i soldi. In un freddo e piovoso 5 novembre 2008, però, quando i tecnici vanno a controllare lo stato dell'opera del Villaggio del Fanciullo per i bambini poveri, non riescono a credere ai propri occhi: la diocesi, scrivono in una relazione tecnica "in luogo della prevista struttura a servizio della collettività, ha realizzato una struttura alberghiera". Oggi la Corte dei Conti ha stimato il danno da risarcire in 2,4 milioni di euro, sottolineando che la Chiesa, tra gli ottanta partecipanti al bando, "è stata l'unica a muoversi in una dimensione essenzialmente privatistica". Dai documenti emerge "in modo irrefutabile l'elemento psicologico del dolo, come nell'uso di espressioni ambivalenti volte a celare la reale finalità, come il termine 'accoglienza' che riferita alla 'colonia' lasciava intendere accoglienza caritatevole, e tratteggiava un'opera destinata al servizio sociale, oltre al fatto che in nessun atto o documento della diocesi si sia mai fatto riferimento alla vera destinazione dell'opera". Se monsignor Pierro secondo la Corte era "ben consapevole dell'ambiguità lessicale" usata per sviare i tecnici regionali che hanno assegnato i denari, l'economo don Lanzara è l'uomo "determinante per gli artifici e raggiri che hanno assicurato il successo dell'operazione truffaldina volta a carpire i finanziamenti regionali". Con i soldi, dunque, è sorta l'Angellara Home, un albergo simile a Il Cantico dei francescani di Roma, dotato di ogni ben di Dio: camere eleganti con minibar, tv a led con canali satellitari, Internet point, sala congressi per quattrocentocinquanta persone e spiaggetta privata per gli ospiti. Il gruppetto di condannati era riuscito a registrare in modo fittizio l'albergo accatastandolo come "collegio-convitto-ospizio-orfanotrofio" invece che come hotel.

L'ex arcivescovo Pierro nonostante lo scandalo è rimasto al suo posto fino alla pensione. Oggi vive in provincia di Salerno, non lontano da Pontecagnano Faiano, dove nel 2010 qualcuno innalzò una statua alta quattro metri raffigurante lo stesso Pierro nel giardino del seminario metropolitano del paese. "A monsignor Gerardo Pierro, arcivescovo primate metropolita di Salerno, al compiersi del suo 75° anno di età con viva gratitudine l'arcidiocesi eresse." Arcidiocesi che lo stesso monsignore immortalato in marmo bianco guidava al tempo.

La truffa ai salesiani

L'occasione fa l'uomo ladro, si sa. Così, dove girano i quattrini, è più facile cadere in tentazione. In Vaticano e nelle congregazioni ne girano tanti, tantissimi, e sono decine i sacerdoti che di tanto in tanto vengono presi con le mani nella marmellata. Molte vicende vengono risolte internamente per evitare fughe di notizie e danni di immagine. Altre finiscono in tribunale, dove denunce e carte bollate aprono squarci su realtà sconosciute. Prendiamo l'ordine dei salesiani, che don Giovanni Bosco fondò dopo che una donna, in sogno, gli disse: "Renditi umile, forte e robusto". Ecco: s'è scoperto che di umile nel patrimonio controllato oggi dai suoi seguaci c'è davvero poco.

È stata una tentata truffa all'ordine e la lotta per un enorme lascito ereditario a svelare le dimensioni della cassaforte della congregazione a cui appartiene anche il cardinale Bertone. La vicenda inizia il 5 giugno 1990, quando il marchese Alessandro Gerini muore nella sua casa romana. Ex senatore della Democrazia cristiana, nobile vicinissimo agli ambienti vaticani, nel suo testamento lascia a una fondazione che porta il suo nome (riconosciuta come ente ecclesiastico e posta sotto il controllo dei salesiani) una ricchissima eredità di terreni, denaro contante, immobili e opere d'arte. Un tesoro che inizialmente viene valutato, da alcune stime esagerate, vicino ai 2000 miliardi di lire.

Quando i nipoti del "Marchese di Dio" (così Gerini era conosciuto a Roma) impugnano l'eredità e decidono di fare causa alla congregazione dei seguaci di don Bosco, nasce una disputa legale durissima. Che coinvolge non solo le due parti, ma anche alcuni mediatori, tra cui Carlo Moisè Silvera, incaricato dai parenti del ricco Gerini di curare i loro interessi. Dopo tre lustri di battaglie in tribunale, l'8 giugno del 2007 i contendenti finalmente si accordano: i salesiani per chiudere il contenzioso versano 16 milioni di euro, di cui 5 vanno ai nipoti, 11,5 allo stesso Silvera. Nell'accordo, però, c'è una postilla: la percentuale già elevatissima dovuta all'intermediario dovrà essere accresciuta dopo che una commissione di periti stimerà definitivamente il valore reale del patrimonio del marchese.

Ebbene, dopo qualche mese, la commissione presieduta dall'avvocato milanese Renato Zanfagna (amico e complice di Silvera, diranno poi i pm di Roma) emette il verdetto: il patrimonio del Marchese di Dio vale in tutto 658 milioni di euro. Dunque al mediatore, che aveva spuntato una parcella pari al 15 per cento della somma, spettano la bellezza di 99 milioni complessivi. Che la fondazione Gerini dei salesiani, in virtù dell'accordo sottoscritto, dovrebbe pagare sull'unghia. I seguaci di don Bosco, invece, si rifiutano. Sentono puzza di bruciato, capiscono che nella vicenda c'è qualcosa che non torna. Non sganciano un euro in più. Silvera allora li denuncia, convince i giudici che la spartizione dell'eredità è valida, che la sua negoziazione è stata decisiva. In tribunale la sua versione è ritenuta fondata, e così nel 2012 i salesiani si vedono sequestrare cautelativamente ben 130 milioni di euro. Un sequestro che mette in luce – al netto dell'eredità avuta – le enormi disponibilità dei preti: oltre a palazzi di pregio (tra cui la sede della direzione generale romana a via della Pisana), si scopre che hanno anche un fondo, chiamato Polaris Investment Sa, nel Lussemburgo. Nella vulgata e nella prassi, sinonimo di paradiso. Fiscale, s'intende.

Cercando fra le carte nella conservatoria del Granducato, è possibile rinvenire lo statuto della Polaris, e così capire quali sono i soci fondatori della società, che hanno versato il 6 febbraio del 2004 quote di partecipazione per 1,5 milioni di euro: la direzione generale Opere di Don Bosco, che ha la maggioranza delle azioni, l'Istituto religioso di Don Orione e la Provincia di Genova dei Frati minori cappuccini. L'idea di creare una società di gestione fondi è di don Giovanni Mazzali, economo dei salesiani, studi all'estero e responsabile finanziario di un'organizzazione presente ormai in 130 paesi del mondo. Perché costituire un "fondo etico" proprio in Lussemburgo? Per gli indubbi vantaggi fiscali, probabilmente. E per attrarre capitali privati: è un fatto che nel 2007 i salesiani riescono a convincere la Cariplo a investire nella Polaris Investment Italia Sgr, una società di gestione controllata dalla casa madre lussemburghese, ben 5 miliardi di euro, un'iniezione di liquidità che comporterà l'ingresso della Cariplo anche tra i soci della Sa lussemburghese. Oggi la società del Granducato ha cambiato nome, ribattezzata Quaestio Investments, ma è ancora attiva, mentre i preti sono usciti dalla controllata italiana.

Una volta che il tribunale blocca il loro enorme patrimonio, i religiosi passano al contrattacco. Grazie alle indagini della gendarmeria vaticana riescono a raccogliere elementi per provare che il vecchio accordo che prevedeva commissioni ricchissime ai mediatori sarebbe stato falsificato. Proprio da don Mazzali, economo fino al 2008, che secondo le accuse avrebbe aggiunto di suo pugno il paragrafo che obbligava la congregazione a versare il megaindennizzo a Moisè Silvera. Sulla base dei nuovi elementi, i frati ottengono il dissequestro dei loro beni e la procura il rinvio a giudizio di tre persone: oltre a Mazzali e il mediatore, anche l'avvocato Zanfagna, l'uomo che avrebbe fatto l'inventario dei beni del Marchese di Dio gonfiandoli a dismisura in modo da aumentare la somma destinata a Silvera. Mentre scriviamo il processo è in corso.

"Siamo stati raggirati, la giustizia trionferà," ha detto Bertone. Soddisfatto per aver salvato l'ordine dal crac: i salesiani hanno riavuto ciò che è loro, le ricchezze sono al sicuro.

Anfore, calunnie e 8 per mille

A Trapani, la curia s'è fatta notare per ammanchi importanti nei conti, numeri che non tornano nei bilanci, veleni tra vescovi e amministratori ecclesiastici e nuove, preoccupanti inchieste della magistratura ordinaria.

Stavolta in croce è stato messo monsignor Francesco Miccichè, vescovo della città fino al maggio 2012, quando Benedetto XVI lo rimosse su due piedi dopo aver letto i risultati di un'ispezione interna effettuata dal visitatore apostolico Domenico Mogavero, al tempo numero tre della Cei e vescovo di Mazara del Vallo.

È lui che, dopo sei mesi passati a scartabellare le scartoffie della diocesi trapanese, firma e spedisce al palazzo apostolico della Santa Sede una relazione allarmante, in cui si ipotizzano irregolarità di ogni tipo, dalla vendita di immobili sottocosto agli amici dei presuli fino ad ammanchi in cassa per centinaia di migliaia di euro, in un vortice di documenti falsi e lotte tra lo stesso Miccichè e il suo economo, don Ninni Treppiedi, che si accusano a vicenda di ogni nefandezza.

"È tutto un complotto, è tutta colpa di don Treppiedi, e quelle di Mogavero sono solo calunnie," s'è difeso sempre Miccichè urlando ai fedeli e al papa la sua innocenza, in una rabbia che ad aprile 2015 ha preso la forma di una querela contro il collega Mogavero per diffamazione e violazione del segreto istruttorio. Se Bergoglio per risolvere la faccenda dovrà nominare un collegio giudicante composto da tre vescovi (o cardinali), in Sicilia diverse inchieste della magistratura italiana stanno cercando di capire quali, tra le tante accuse incrociate, siano fondate e quali no.

Finora la bilancia della giustizia terrena sembra pendere dalla parte dell'economo, già sospeso *ad divinis* dal Vaticano: l'indagine per riciclaggio contro Treppiedi, che in un'altra inchiesta parallela sta testimoniando contro il suo ex superiore, è infatti stata archiviata nel maggio del 2015. Accusato di aver sottratto centinaia di migliaia di euro vendendo immobili all'insaputa di Miccichè, i pm dopo una rogatoria avanzata al Vaticano hanno scoperto che allo Ior il don aveva un solo conto da appena 16 mila euro, e praticamente non movimentato.

È il secondo punto che il duellante segna a suo favore: in un altro filone d'indagine i pm avevano sequestrato l'ex canonica di una chiesa di Alcamo dove si ipotizzava una truffa di Treppiedi, ma dopo rapidi accertamenti hanno restituito il palazzo ai proprietari e hanno confermato che la vendita dell'immobile fu effettuata regolarmente. Non solo: nel decreto di dissequestro le accuse di Miccichè al suo ex fedelissimo sono state definite dai procuratori come "inattendibili, frutto di una premeditata strategia ispirata da fini diversi dal senso di legalità con cui Miccichè ha tentato, in un primo momento riuscendovi anche grazie a testimonianze compiacenti, di accreditarsi presso l'autorità giudiziaria".

Se Treppiedi festeggia, monsignor Miccichè e alcuni suoi sodali oggi tremano: secondo la procura di Trapani, l'alto prelato si sarebbe intascato un mucchio di soldi (i primi accertamenti ipotizzano circa 800 mila euro) provenienti dai fondi dell'8 per mille che i contribuenti cattolici decidono ogni anno di versare alla Chiesa. Il vescovo mentre scriviamo è indagato per appropriazione indebita e malversazione. Gli investigatori hanno ricostruito un presunto sistema di potere messo in piedi in città dal vescovo e dall'ex direttore della Caritas trapanese Sergio Librizzi: se Miccichè lasciava che l'amico amministrasse una decina di importanti cooperative specializzate nel settore dell'accoglienza ai migranti e nella raccolta degli indumenti (coop che insieme gestiscono centinaia di posti di lavoro, bene rarissimo in città), Librizzi in cambio avrebbe firmato false attestazioni al vescovo, pezzi di carta che servivano a documentare che la diocesi di Trapani investiva i denari provenienti dall'8 per mille in opere di carità e progetti per i più bisognosi. Secondo i pm, invece, parte importante del denaro non sarebbe mai stata spesa, ma finita direttamente nelle tasche del vescovo.

Accuse gravi che il presule rispedisce al mittente. Mentre i pm cercano la verità, la Guardia di finanza ha intanto scoperto che Miccichè possiede una grande villa a Monreale, che divide con la sorella, e che negli anni – nonostante non provenisse da una famiglia agiata – i due sarebbero riusciti ad acquistare un'altra villa a Trabia, vari appartamenti a Palermo e una palazzina intera in via Libertà, sempre nel capoluogo. In più, dopo essere entrati nella magione di Monreale, gli inquirenti hanno trovato e sequestrato opere d'arte di grande valore, come una fontana di marmo, un'anfora greca, un pianoforte a coda, crocifissi di valore e una statua della Madonna forse risalente al Cinquecento. Alcuni di questi oggetti sono stati riconosciuti da dipendenti della fondazione Auxilium, un importante ente privato per la riabilitazione neurologica (ha circa duecentoquaranta assunti a tempo indeterminato) presieduto per statuto dal vescovo di Trapani: avrebbero affermato ai magistrati che alcune opere erano state sottratte alla sede della fondazione a Valderice.

"Il vescovo risulta indagato solo per astratte e indeterminate ipotesi di appropriazione dei fondi dell'8 per mille e di beni artistici che, peraltro, nessuno degli aventi diritto ha mai denunciato sottratti," hanno tentato di gettare acqua sul fuoco gli avvocati del monsignore, ipotizzando che vecchie battaglie del prete contro poteri occulti e criminalità organizzata possano averlo trasformato in vittima sacrificale. "Le opere sequestrate? Sottoposte al vaglio di tecnici esperti sono risultate per la maggior parte di modestissima fattura, e diverse sono le copie di pezzi conservati altrove e addirittura sono stati riconosciuti dei falsi." A fine aprile 2015, però, il tribunale si è opposto a restituire al vescovo i pezzi sequestrati nella sua villa, e gli hanno ridato solo un tabernacolo.

Ringraziamenti

Grazie a chi, dentro il Vaticano, con il suo coraggio ha reso possibile questo libro.

Grazie a Lirio Abbate, Riccardo Bocca, Giovanni Tizian e Gianfrancesco Turano, colleghi pazienti che mi hanno supportato e sopportato.

Grazie ai ragazzi dell'ufficio stampa della Guardia di finanza, per le loro fondamentali ricerche d'archivio.

Grazie ai magistrati, agli ufficiali e agli inquirenti che si sono occupati di scandali vaticani: i loro suggerimenti sono stati decisivi.

Grazie, infine, a Mattia de Bernardis e Gianluca Foglia, che hanno permesso che questo libro fosse nelle vostre mani.

Indice